ワンダー・ラボラトリ

粒でできた世界

結城千代子・田中 幸

西岡千晶 絵

太郎次郎社エディタス

目次

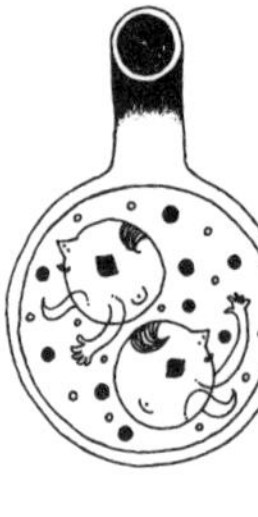

物の原子が目に識別できないからという理由で、万が一にも私の言葉に不信の念を起こさないようにしてほしい。なお、存在はしているものの、目では見ることができないと君も認めざるを得ないものが、物質の中にあるということを、考えてみてくれたまえ。

——ルクレーティウス

（『物の本質について』樋口勝彦＝訳、岩波文庫）

はじめに

みなさんは、音楽を聴《き》くのは好きですか。四季折々、または旅先などで、スケッチブックを広げることはありますか。演劇やバレエなどの鑑賞《かんしょう》はいかがでしょう。

これらは、わたしたちが生きるうえで欠かせないものというわけではなく、直接役立つものでもありません。けれども、まちがいなく潤《うるお》いと豊かさを与《あた》えてくれます。そして、専門的に学ばなくても楽しむことができます。

そういう科学、サイエンスがあってもいいのではないかとわたしたちは考えます。いわゆる理系でなくても、科学の不思議、美しさ、おもしろさを楽しんでもらえたらと思い、この「ワンダー・ラボラトリ」シリーズを刊行しました。

この本は、ほかの科学の本とかなり趣《おもむき》を異にしています。

まず、舌を噛《か》みそうな専門用語や、くらくらめまいがする数式はいっさい出てきません。ですが、けっしてレベルの低い話題を扱《あつか》っているのではありません。むしろ科学の根幹にかかわる話を展開しています。ページ下のコーナーや、ところどころに入っているコラムでは、発見の歴史にかかわる科学者について、思わずくすっと微笑《ほほえ》みたくなるような人間らしい話題も提供しています。

むかし、ヨーロッパのセレブが集まるサロンで、科学について語ることがおしゃれだった時代がありました。そうです！　わたしたちはなにより、科学を、読者のみなさまに、おしゃれにお届けしたかったのです。

科学を科学者だけのものにせず、みんなが興味をもつ。これは科学にとっても健全なあり方だとわたしたちは考えます。この本がその一助となればと願っています。

シリーズ第一巻は、原子や分子などの粒《つぶ》の話と大気圧の話。

古代ギリシャにはじまった原子論は、いまではあたりまえの考え方になっています。ここであらためて、世界が原子でできていることに思いを馳《は》せ、さらに、大気圧や真空について考えてみたいと思います。

一本のストローでジュースを飲めるのはなぜか、世界を粒で描《えが》く方法とは、教科書に載《の》っている周期表はどうしてこんなふうに並べてあるのか……。この本では、たくさんの不思議をとりあげます。

どうぞ気楽に、お気に入りの音楽でもかけながら、それらの謎解《なぞと》きを味わってもらえたらと思います。

結城千代子・田中　幸

I

世界を粒《つぶ》で描《えが》く——みんな原子でできている

∵ 二枚のスケッチ

いま、わたしはスケッチをしています。見てください。これがわたしの絵です。でも、じつはもう一枚、変わった手法でスケッチをしているんです。つぎのページを見てください。

なんだ、ただの点々で影《かげ》の濃《こ》い部分を表現しただけじゃないか、ですって？　いいえ、まったく違《ちが》うんです。じつはこれ、ある決まりがあって、こんなふうに描《えが》きたかったんです。

二つの表現を比べてみましょう〈11頁《ページ》〉。まずはユリのカサブランカと石です。点々の描き方が、なんか違いませんか？　カサブランカはごちゃごちゃしていて、石のところはきちんと並んでいます。標識は金属でできています。こちらはずいぶん整然と並んでいるでしょう？　空のところにも点が少し描いてあります。

この点々で何が描きたかったのか、わかってくれますか？　そう、これはものをつくっている粒《つぶ》で描いた世界のつもりです。

ものが何からできているか、小さな世界をたずねていくと、「原子」という粒にた

どりつきます。この絵は、ものをつくっている粒が、それぞれの並び方で、世界をつくっているイメージを表したものです。（ここでは、3人のキャラクターと3羽のアイガモだけは変化しません。）

　とはいえ、原子は本当はこんなふうに目に見える点で描けるほど、大きな粒ではありません。目に見えないくらい細かい細かいものなので、長いあいだその存在を認めてもらえませんでした。想像した人びとは多かったのですが、証拠《しょうこ》を見つけることができなかったのです。

　いまはだれもがこの存在を認めています。原子、それがすべてのものをつくっているもとです。

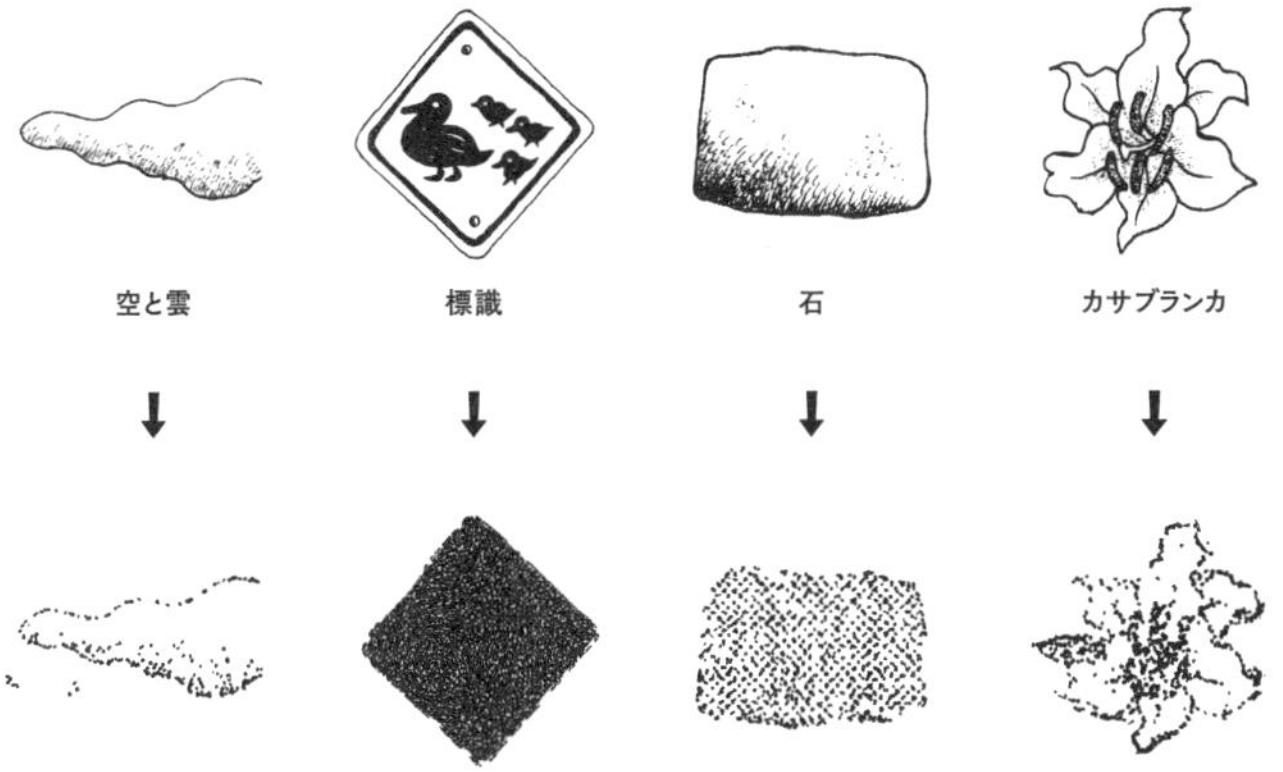

≡はじまりは古代ギリシャ❶≡ 哲学者《てつがくしゃ》デモクリトス（紀元前460年頃《ころ》—360年頃）は、師のレウキッポスとともに、すべてのものはアトム（原子）という粒《つぶ》でできていると考えた。アトムの語源は、「これ以上壊《こわ》すことができない」という意味のギリシャ語「アトモン」。

原子はどのくらい小さいでしょう。

この絵に描かれているカサブランカの花には、花粉があります。花粉は細かいから、すぐ原子にたどりつけそう。ちょっと拡大してみましょう。

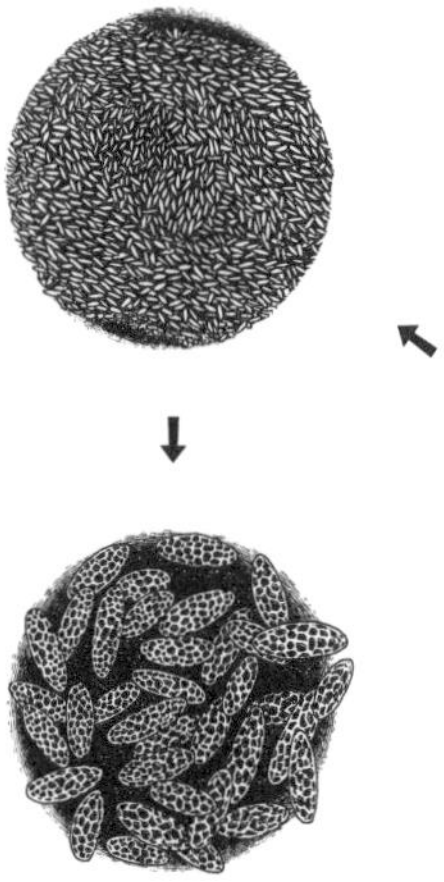

たくさんの小さな花粉が見えてきました。ひとつの花粉をもっと大きくしてみます。

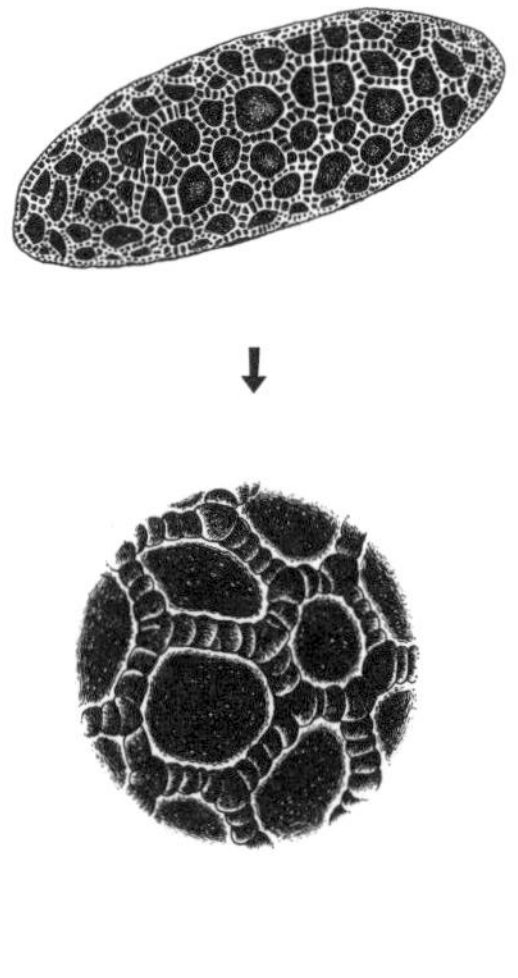

花粉の表面のようすが見えてきました。でも、ぜんぜん粒には見えません。がんばって、もっと、もっと、拡大してみましょう。

そして、苦心惨憺《くしんさんたん》、なんとか、こんなふうな粒の姿を描きだすことができます。

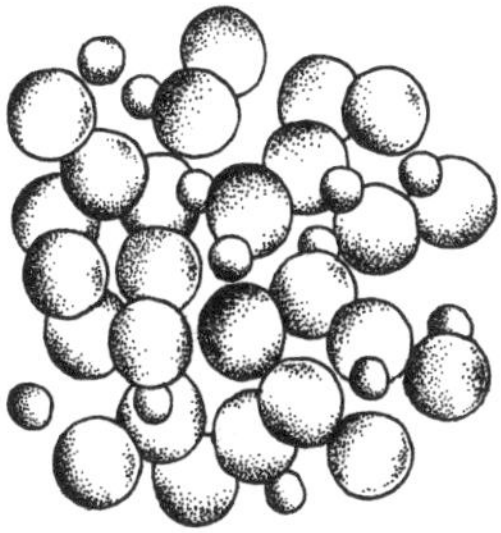

花粉のひと粒は、兆をはるかに超《こ》える原子が集まってできているのです。本当は、とてもペンで描く点では描けません。

空気の中は粒《つぶ》がスカスカ

こんどは、空気の話です。空気を描《えが》くと、花粉に比べて点描《てんびょう》がスカスカだというのは、想像できます。どのくらいスカスカなのでしょうか。いろんな場所の空気をのぞいてみましょう。

まずは、わたしたちのまわりの空気です。酸素や窒素《ちっそ》や二酸化炭素の粒《つぶ》が混じっていますが、スカスカです。

花粉がこれくらいだとすると……

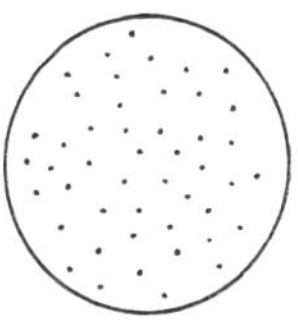

身のまわりの空気はこのくらい

≡はじまりは古代ギリシャ❷≡ エーゲ海に面した都市アブデラに生まれたデモクリトスは、父親の遺産でエジプトやインドへと旅して見聞を広めた。帰国後は質素に暮らし、市民に著作を読むなどして名声を得た。「笑う哲学者《てつがくしゃ》」とも称《しょう》され、その意味はさまざまに推測されている。

お店で売っている酸素缶《かん》。あの中はこのくらい詰《つ》まってます。酸素缶の中身は空気ではなく酸素の粒だけですけれどね。

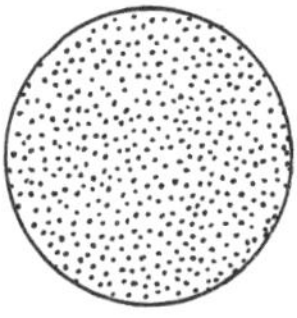

身のまわりの空気の
数倍〜10倍

富士山の頂上の空気はどうでしょう。地上よりもスカスカです。

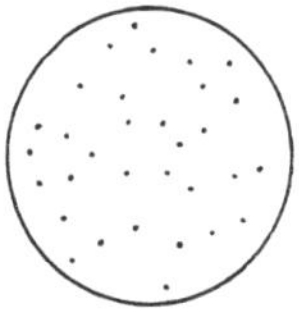

身のまわりの空気の
3分の2くらい

ここは銀河系の宇宙空間。宇宙のチリ、水素や窒素やメタンなどのさまざまな気体、まぜこぜで、ほかの場所よりはるかにスカスカですが、なんにもないわけではありません。

銀河系の外に出ると、さすがにあまりありませんが、それでも、一メートル四方に一つくらいは、何かの原子がひょっこり……。

粒《つぶ》が動きまわることを見つけたブラウン博士

——分子運動の発見

一八二七年、イギリスのブラウン博士は、水に浸《ひた》した花粉が壊《こわ》れて中から出てくる微粒子《びりゅうし》が、水のなかであちこち動くことに気づき、いろいろな物質の微粒子をかたっぱしから調べてみました。百年前の花粉、コケの胞子《ほうし》、すす、岩石……。

その結果、顕微鏡《けんびきょう》でやっと見えるくらいの大きさにした粒《つぶ》（微粒子）は、どんなものでも水のなかで動くことを発見しました。博士はその原因を解明できないまま亡くなりましたが、このような微粒子の動きは「ブラウン運動」と名づけられ、多くの科学者が謎解《なぞと》きを試みました。

一八六三年、ドイツのウィーナーは「これは、微粒子よりも小さくて目に見えない水の分子が運動しているためである」と述べ、フランスのデルゾーは一八八七年、「微粒子は、水の分子が激しくぶつかることによって押《お》し動かされる」と説明しました。これらの考えから、ブラウン運動は原子や分子がたしかに存在する証拠《しょうこ》ではないかと、その解明が期待されました。（29頁《ページ》のアインシュタインの話へ続く）

≡はじまりは古代ギリシャ❸≡ 哲学者《てつがくしゃ》プラトンはデモクリトスに、激しい反感を抱《いだ》いた。プラトンの弟子のアリストテレスは真空を否定し、「原子と真空」というデモクリトスの物質観と対立した。アリストテレスは「自然は真空を嫌《きら》う」ということばを残す。

∵ 流れる水も粒《つぶ》？

水のように流れているものは、やはり粒《つぶ》になっているのでしょうか。水を半分にしても、しても、しても、どこまでいっても切れ目はなさそうです。水の中には、すきまなどまるでないように思えます。

まあ、花粉だって、つぶつぶが並んでいるとはとても思えませんから、水にもすきまがあるかもしれないと疑ってみましょう。

水は、花粉のように拡大して見ていくことはできません。水は定まった形をしていませんし、少量ではすぐ蒸発して、気体になっていってしまいます。なにより、微細《びさい》なものを見るのに便利な電子顕微鏡《けんびきょう》は、乾《かわ》いた固体を見るためのもので、水の観察には適していません。

しかし、どうやら目に見えないすきまがあるらしいということだけは、けっこうかんたんに確かめられます。

水を百cc用意します。アルコールも百cc用意しましょう。どちらもきちんと分量を量ってあります。二つを混ぜれば二百ccになるはずです。

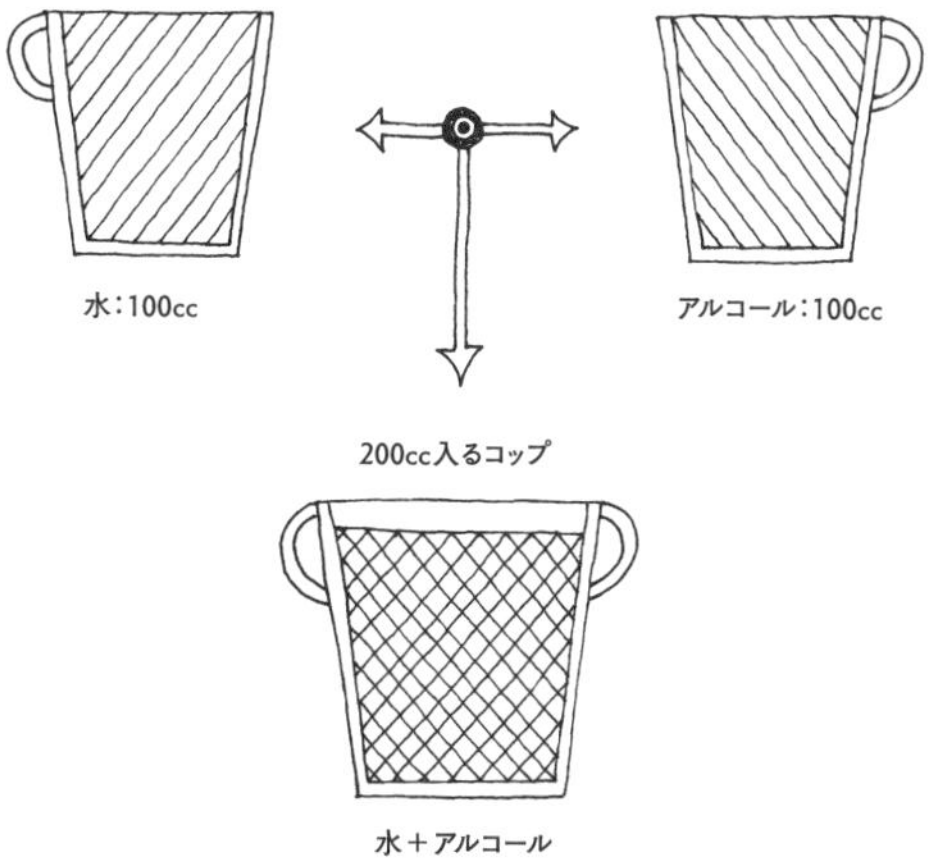

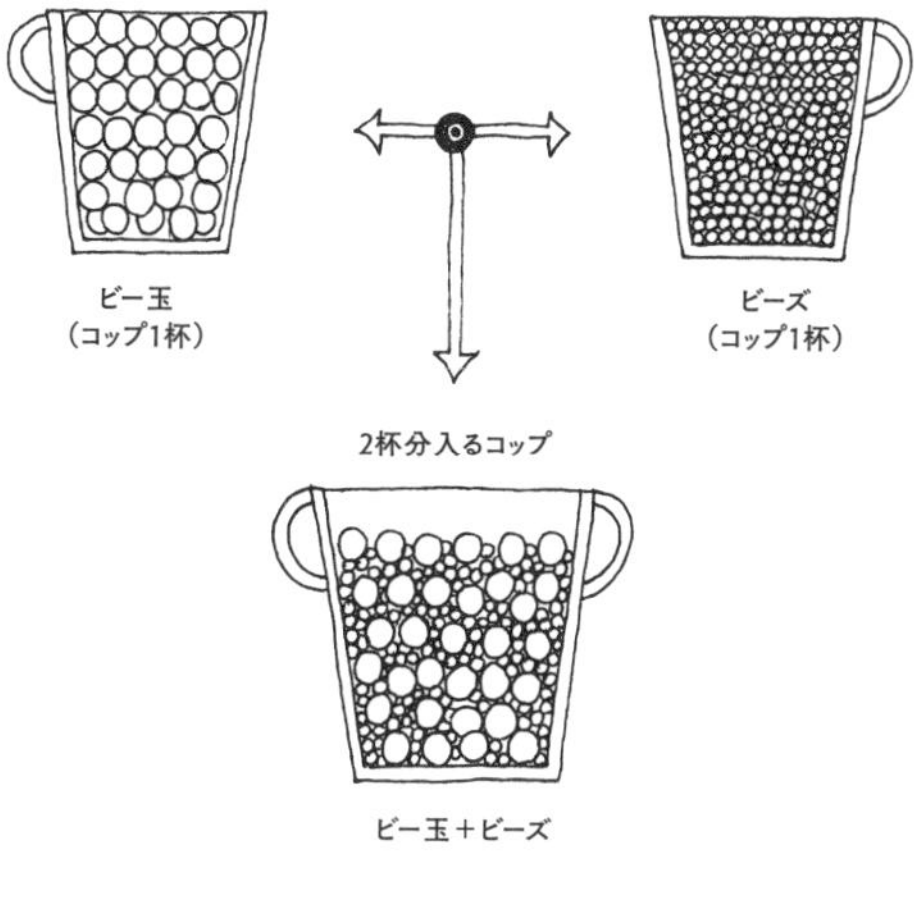

≡詩が運んだ原子論❶≡ ルクレーティウス（紀元前99年頃《ごろ》—55年頃）は、共和制ローマの詩人・哲学者《てつがくしゃ》。デモクリトスの原子論の継承者《けいしょうしゃ》であるエピクロスの思想を詩「物質の本質について」で著し、そこに原子の考えもふくめた。

ところが、蒸発しないように混ぜても、どうしても二百ccにはなりません。量が少し減ってしまうのです。ものはいきなり消えるはずがありません。減った分はコップの中から、どこへもいったはずはありません。

もし、コップ一杯《ぱい》のビー玉と、コップ一杯のビーズを混ぜたのだとしたら、混ぜたものがコップ二杯《はい》分にはなりません。ビー玉のすきまに、ビーズが入ってしまうからです。

水とアルコールでも、似たようなことが起こっていると考えられます。つまり、目には見えないすきまがあって、それぞれの粒の性質で、うまくすきまにはまりこむようなことが起こっているというわけです。

水も、すきまがあって、どうやら粒のようです。そして、水とアルコールは、ビー玉とビーズのように、粒のようすが違《ちが》うらしいことも想像できます。

∵ 花と金属の固さが違《ちが》うわけ

カサブランカと金属では、固さが違《ちが》います。固さの違いも原子のせいでしょうか。スケッチでは、金属をきっちり粒《つぶ》が並んだ絵で描《えが》いていましたが、それは金属が固いことと関係するでしょうか。

花のように、生きているものはじつに多種多様です。また、金属には金、銀、銅といった多くの種類があります。どうも、原子にはずいぶん種類がありそうです。

現在では、おおぜいの人が実験を重ねた結果、百種類あまりの原子があることがわかっています。原子の種類を元素といいます。どんな元素があるか、ちょっとその一部を紹介《しょうかい》しましょう。

1―H（水素・Hydrogen）――ギリシャ語の「水を（hydro）生じる（gennao）」から命名されています。水は、水素と酸素がくっついてできています。

2―He（ヘリウム・Helium）――ギリシャ語の「太陽（helios）」からつけられました。太陽は、水素の原《げん》子《し》核《かく》がぎゅっとくっついてヘリウムの原子核になるときに出す熱で燃えています。空高く舞《ま》いあがる風船の中身です。

3―Li（リチウム・Lithium）――ギリシャ語の「石（lithos）」から。

4―Be（ベリリウム・Beryllium）――ギリシャ語の「緑柱石（beryllos）」から。

5―B（ホウ素・Boron）――アラビア語の「白い（bouraq）」から。

≡詩が運んだ原子論❷≡ ギリシャ・ローマ文化の破壊《はかい》により、知の遺産はアラビアに流れた。ヨーロッパでは14世紀にイタリアではじまるルネッサンス期まで、原子論が日の目を見ることはなかった。

6―C（炭素・Carbon）――ラテン語の「炭（carbo）」から。生きものは、かならずこれをふくんでいます。ダイヤモンドも鉛筆《えんぴつ》の芯《しん》も、これでできています。

7―N（窒素《ちっそ》・Nitrogen）――ギリシャ語の「硝石《しょうせき》（nitron）＋生じる（gennao）」から。空気の中にいちばん多く入っています。

8―O（酸素・Oxygen）――ギリシャ語の「酸っぱい（oxys）＋生じる（gennao）」から。これがなければ人間は生きられません。それから、火も燃えません。

こんな感じで、百以上も並べることができます。
この番号と並べ方にはわけがあって、原子の中身と関係しています。
原子は、陽子と中性子という粒からできている原子核のまわりを、陽子と同じ数の電子というとても小さな小さな粒がまわるという構造になっています。
そして、原子の違いは、原子核の陽子の数で決まります。陽子の数が一つ違うだけで、まったく別の原子です。

さきほどの番号は陽子の数で、その数が少ない順に並べてあるのです。
水素が一個、ヘリウムが二個、以下一つずつ多くなります。

身近な物質の原子

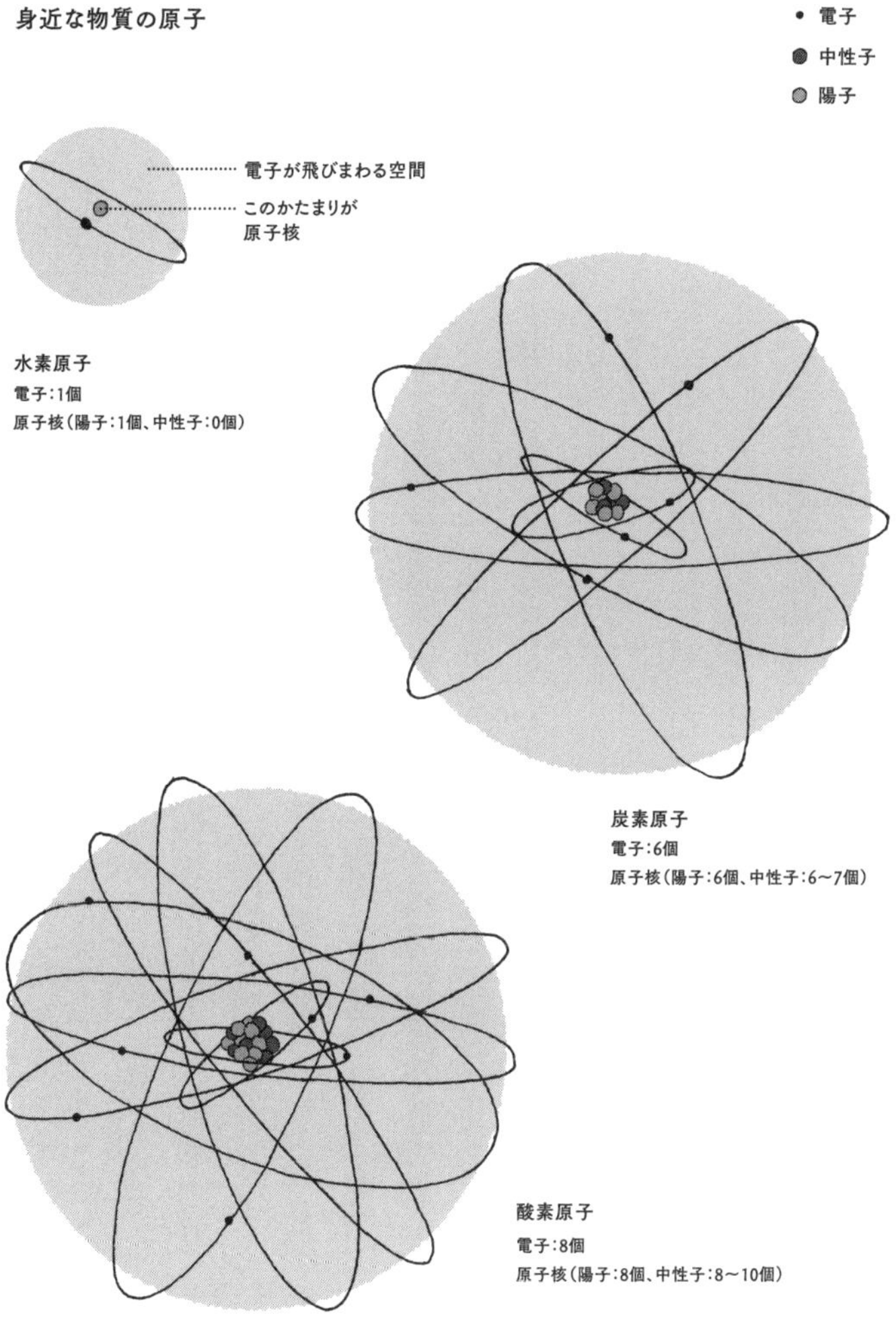

≡詩が運んだ原子論❸≡ ルクレーティウスの詩は1417年、イタリアのポッジョ・ブラッチョリーニにより屋根裏部屋で偶然《ぐうぜん》、発見されたとされる。時流に乗り、のちに印刷されてヨーロッパに広まる。15世紀中頃《なかごろ》にグーテンベルクが発明した活版印刷術で、書物の量産が可能となった。

こんなに種類の多い原子のなかで、カサブランカのような生きものをつくっている主役は、水素、酸素、炭素の三種類の原子です。もちろんほかに、たとえばリンやカルシウム、鉄などの金属の原子までふくんでいて、さまざまなわき役たちがいます。生きものも、骨や甲羅《こうら》の部分は花びらのようにやわらかくありませんが、金属に比べるとやわらかかったり、もろかったりします。

これは、まず、生きものをつくる粒が、大きさの違ういろいろな原子をふくんでいて、複雑な結びつきでできているからです。その多くの原子の結びつきは、柔軟《じゅうなん》だったり、切れやすかったり、新しくつながりやすかったりします。そのうえ、これらの粒にはたいへん多くの種類があり、生きるうえでの役割によってまとまったかたまりをつくっていて、それぞれの場所で混在しています。さらに、かたまりをつくる粒は複雑な形をしていて、粒どうしのあいだには、すきまも多くできます。

このように、生きものはみんな、動物も植物も、そして、生きものからできる紙や布も、こうした原子や粒のかたまり方によって、形が変わりやすく、動かしやすく、金属のかたまりとは違ったやわらかさやもろさがあります。

一方、金や銀や銅といった金属のかたまりが固いのは、金属原子特有のかたまり方があるからです。

同じ原子が、規則的にきっちり並んでいて、その結びつきがとても強いのが特徴《とくちょう》です。また、合金といって種類の違う金属が混じってできた金属も、違う種類の原子が決まった位置にきっちりはまって、しっかり結びついています。

規則正しく並んでいるからこそ、薄《うす》い板や箔《はく》にしたり、引きのばして細い針金にしたりできます。また、しっかり結びついているので、曲げてもかんたんには折れません。

カサブランカと金属の固さの違いは、原子、そして原子が集まってできた粒の並び方とつながり方に大きな原因があるのです。

金属のかたまり

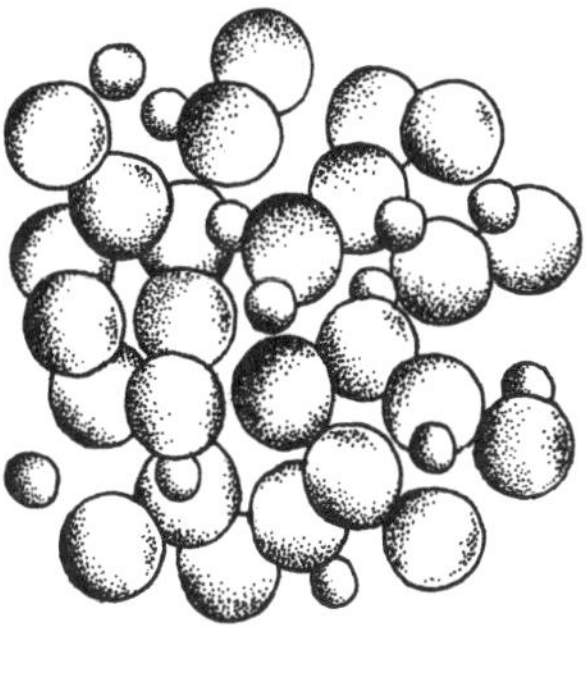
カサブランカのかたまり

≡詩が運んだ原子論❹≡ ルクレーティウスの詩を読んで感銘《かんめい》を受けたフランスのガッサンディ（1592―1655、物理学者・数学者・哲学者《てつがくしゃ》）は、一定数の原子が天地の創造時につくられ、万有の原基となったとした。

∵ 周期表は原子世界の説明書

くりかえしますが、原子はどれも、同じ陽子と中性子と電子でできています。そしてその数が違《ちが》うので、たくさんの種類があります。

陽子の個数（原子番号といいます）の順番に原子の種類、すなわち元素をすべて並べたものを、周期表といいます〈26―27頁《ページ》〉。

原子にはかならず、陽子と同じ個数の電子があります。陽子が一個の水素は、電子を一つもっています。陽子が二個あるヘリウムは、電子を二個もっています。陽子が三個のリチウムは……、というふうに、陽子が一つずつ多くなっていくと、同じように電子も多くなります。（ちなみに、中性子の数はバラバラです。）

周期表のはじめのほうが妙《みょう》に飛び飛びなのは、原子核《げんしかく》のまわりをまわる電子の、まわり方の特徴《とくちょう》によります。この本のためにデザインしたわけではありません。

まず、原子核のいちばん近くをまわることができる電子の数は、二個。その軌道《きどう》がある範囲《はんい》をK殻《かく》とよび、「K殻には電子が二個入る」などといい、周期表によってはKという文字が見られるものもあります。電子がまわると言っていますが、原子核を中心とした球面上のどこかを通る円軌道を描《えが》いていて、いつでも同じところを通っ

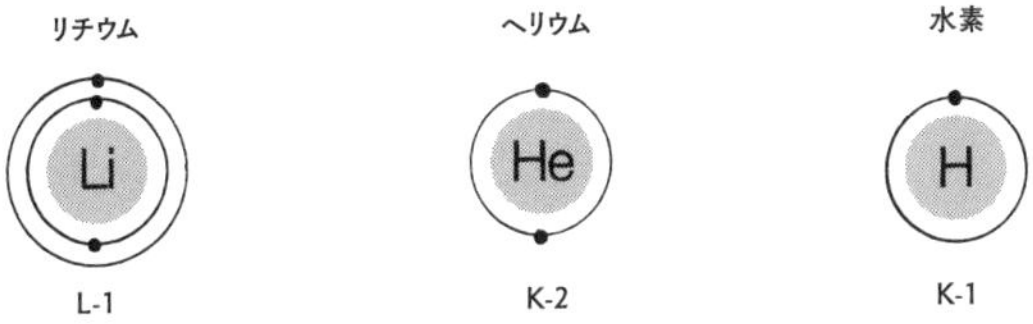

ているわけではありません。
さて、もし周期表の元素の記号のところにK−1と書いてあると、この軌道に一個の電子がまわっていて、それがすべての電子であるということになります。その元素記号はH、水素と書いてあるでしょう。K−2なら二個の電子をもつ原子で、ヘリウムのことです。Kという軌道には、電子が二個までしか入れません。では、それより多く電子があるものは、どうなるのでしょうか。
三個目の電子は、Kより外側の軌道をまわります。この軌道には八個の電子が入ることができ、L殻とよばれます。リチウムは電子が三個なのでL−1となり、それより内側のK殻は満員であることを意味します。さらに、L殻の外側にはM殻、N殻と続きます。
このように、原子核をまわる電子の軌道には定員が決まっています。そして、内側の軌道が満員になると、電子は、外側の軌道をまわるようになることがわかります。いちばん外側の軌道に一個の電子がいるのは、さきほどの水素、それからKがいっぱいになったのでLに電子が入ったリチウム、同様にKとLがいっぱいになって、

≡ロバート・ボイル（1627—1691）≡ アイルランド出身の貴族で、物理学者・化学者・哲学者《てつがくしゃ》。空気は押《お》すと縮むことを発見。空気が原子でできていて、押すとあいだがせまくなると考えた。青少年時代にイタリアを訪れ、晩年のガリレオに接触《せっしょく》している。錬金術《れんきんじゅつ》にも熱心だった。

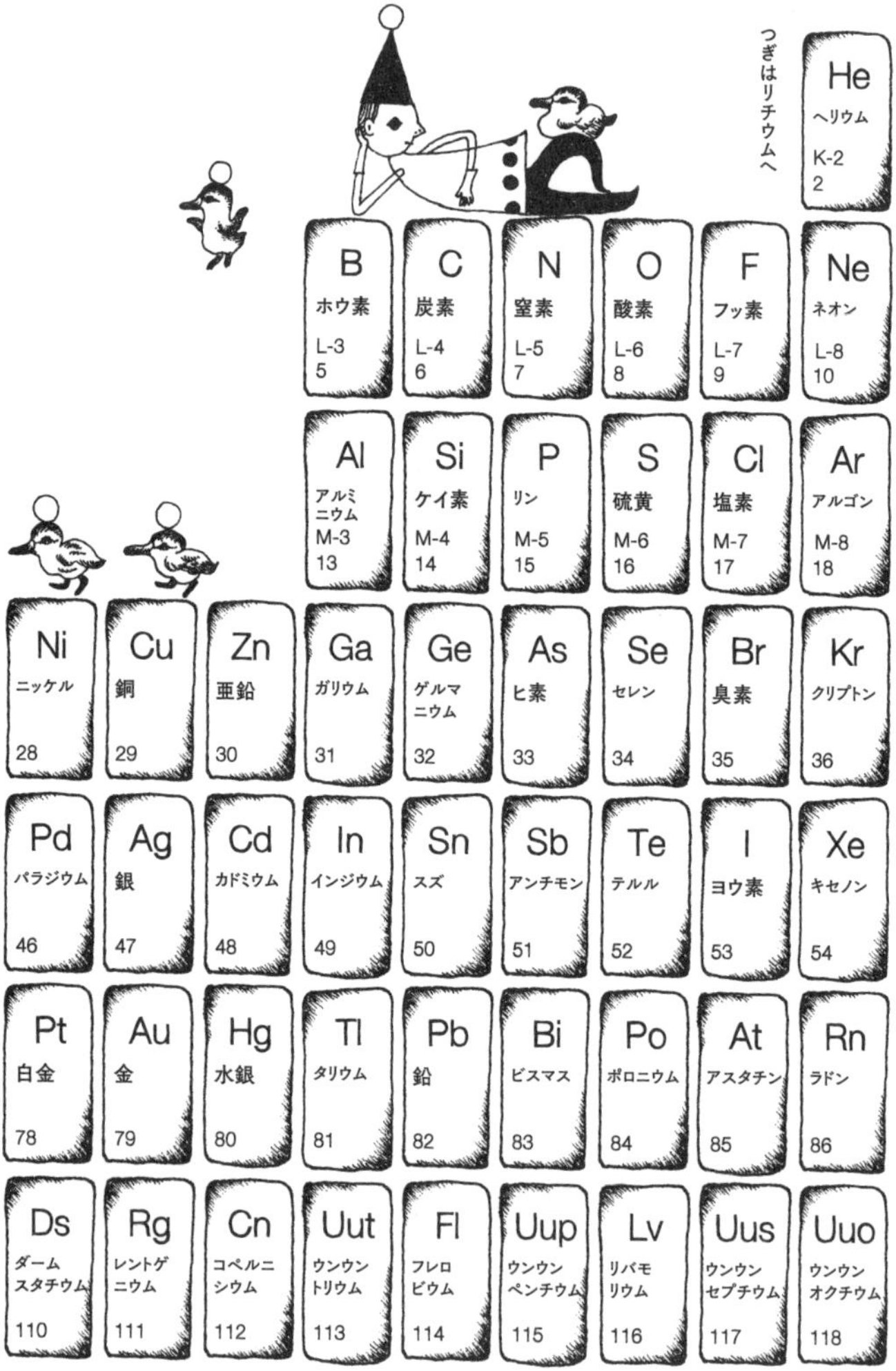

元素はいまのところ118番までで、113・115・117・118番には正式な名前がついていない。113番の元素（仮称：ウンウントリウム）は、日本にちなんだ名前がつくかもしれないと期待されている。

周 periodic table 期 表

1	2	3	4	5	6	7	8	9
H 水素 K-1 1								
Li リチウム L-1 3	Be ベリリウム L-2 4							
Na ナトリウム M-1 11	Mg マグネシウム M-2 12							
K カリウム 19	Ca カルシウム 20	Sc スカンジウム 21	Ti チタン 22	V バナジウム 23	Cr クロム 24	Mn マンガン 25	Fe 鉄 26	Co コバルト 27
Rb ルビジウム 37	Sr ストロンチウム 38	Y イットリウム 39	Zr ジルコニウム 40	Nb ニオブ 41	Mo モリブデン 42	Tc テクネチウム 43	Ru ルテニウム 44	Rh ロジウム 45
Cs セシウム 55	Ba バリウム 56	ランタノイド系 57〜71	Hf ハフニウム 72	Ta タンタル 73	W タングステン 74	Re レニウム 75	Os オスミウム 76	Ir イリジウム 77
Fr フランシウム 87	Ra ラジウム 88	アクチノイド系 89〜103	Rf ラザホージウム 104	Db ドブニウム 105	Sg シーボーギウム 106	Bh ボーリウム 107	Hs ハッシウム 108	Mt マイトネリウム 109

つぎはヘリウムへ

凡例

Na（元素記号）
ナトリウム（元素名）
M-1
11（原子番号）

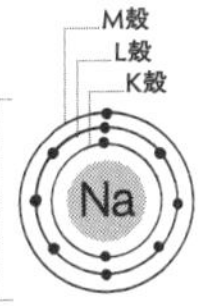

M-1は、内側の殻に電子が満員で、最外殻のM殻を電子が1個まわっていることを表す。カリウム以降は省略。

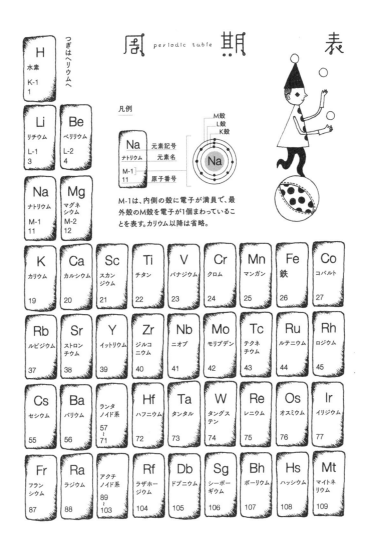

その外のM殻に電子が入ったナトリウム……といったぐあいに。

周期表では、いちばん外側の軌道に一個の電子が入っている原子の元素をタテに並べ、いちばん左に書きます。となりには、外側の軌道に二個まわっているものが、そのとなりには、外側の軌道に三個まわっているものが、そのまたとなりには……というように、最外殻の電子の個数が同じ原子の元素をタテにそろえて並べていきます。いちばん右側のヘリウムやアルゴンは、それぞれの殻に電子が満員の状態です。


さあ、あらためて周期表を見てください。ずいぶんたくさんの名前が並んでいますね。こんなにたくさんあるけれど、わたしたちのまわりにふつうにあるものをつくっている元素は、このなかのほんの一部です。そのなかでもとくに、水素、酸素、炭素の三種類は、生きものをつくるおもな元素です。

そして、そのさまざまな原子をつくっているのは、たった三種類の粒――陽子、中性子、電子。違うのは、その個数だけです。陽子の数が一個違うだけで、物質の性質は大きく変わり、異なる元素として、違う名前を与《あた》えられています。

世界は、たった三種類の粒の組み合わせで、これほど多様にできているわけです。

やっぱり天才アインシュタイン
——分子運動の方程式

一九〇五年、アインシュタインは、水の分子の運動を数学的に考えました。アインシュタインといえば相対性理論で有名ですが、原子の考えに果たした役割もひじょうに重要なものでした。彼《かれ》がいなかったら、原子の実在はまだ認められていなかったかもしれません。

アインシュタインは、水の中で動いている微粒子《びりゅうし》が小さければ小さいほど、水の分子がぶつかったときに衝撃《しょうげき》を受けやすくなり、一定時間に押《お》しやられる距離《きょり》も増すと考えました。また、ぶつかる分子が大きければ大きいほど、微粒子をよりかんたんに、より遠くに動かすとも考えました。大きさの違《ちが》う玉の衝突《しょうとつ》で想像してみてください。

そこで、微粒子や水の分子の大きさ、微粒子が一定時間内に動いた距離などをふくむ複雑な方程式をつくりあげました。ちなみにアインシュタインは、ブラウン運動そのものについては知らなかったと言っています。（50頁《ページ》へ続く）

≡ラボアジェ（1743—1794）≡ フランス貴族の化学者で、化学反応の前後で質量が変化しないことを発見した。妻のマリーは語学に精通し、化学を学んで精巧《せいこう》なスケッチの実験記録を残した。美人だったとも。貴族ラボアジェはフランス革命で断頭台に死す。

∵ 周期表の発案者はメンデレーエフ

さて、周期表という名前は、周期的に同じような性質の元素が現れてくることから、こうよばれています。最外殻《さいがいかく》をまわる電子の数が同じ原子の元素をタテに並ぶようにつくった周期表では、表のタテの仲間が同じような性質をもっています。

このような規則性は、ロシアの化学者、メンデレーエフが見いだしました。

ここでちょっと、メンデレーエフについてお話ししておきます。

ドミートリー・メンデレーエフ（一八三四－一九〇七年）は、シベリアで十四人きょうだいの末っ子に生まれました。小さい頃《ころ》は劣等生《れっとうせい》だったようですが、父の死後、母親が「孟母三遷《もうぼさんせん》」の教えを意図してか、貧しいながらによりよい環境《かんきょう》を求めてサンクトペテルブルクに移り住みました。どうやら医科大学で学ぶも死体を見て気絶し、医者を断念したようです。それから高等師範《しはん》学校に入学します。母の死をきっかけに猛勉《もうべん》強《きょう》して、ギムナジウム（中等学校）の教師になり、さらに一八五九年から二年ほど、フランスやドイツに留学しました。

ドイツでは、ローベルト・ブンゼン（一八一一―一八九九年）に師事しました。ブンゼンは、ブンゼンバーナーの発明やセシウムなどの発見で知られる先端《せんたん》の化学者でした。

そのころといえば、まさに原子の時代の幕開け。いくつもの新しい基本的な物質がつぎつぎ発見されていました。メンデレーエフが滞在《たいざい》中の欧州《おうしゅう》は、そのメッカでした。一八六〇年には、ドイツではじめての世界化学者会議が開かれ、原子と分子の違《ちが》いが明確になり、それまでにわかっていた原子の重さの比がすっきりしたばかりでした。鮮烈《せんれつ》な研究の印象をもって、メンデレーエフはロシアにもどりました。

その後、ペテルブルク大学の教授になるのですが、講義の評判は高く、教室はいつも満員といった案配でした。きっと、最新の話題を臨場

ブンゼン

メンデレーエフ

≡ドルトン（1766―1844）≡ イギリスの物理学者・化学者・気象学者。原子の考えを前面に出し、さまざまな種類の原子の重さの比（原子量）を定めた。また、自身と親族の症例《しょうれい》をもとに先天性色覚異常の研究もおこなった。生涯《しょうがい》、研究に明け暮れて人づきあいが少なく、話し下手な人物だった。

感たっぷりに講義してくれたのでしょう。講義のかたわら、研究も進め、『化学の基礎《きそ》』という本を執筆《しっぴつ》します。

執筆にあたり、メンデレーエフが悩《なや》んだのは、当時知られていた六十三種類の元素をどのように説明するべきかということでした。それぞれの元素の記号と特徴《とくちょう》を書いたカードをつくって、それを並べながらわかりやすい見せ方のくふうを考えます。そして、元素の性質の違いは、重さの違いからくると考え、重さの順に並べたところ、周期的に似た性質の元素が現れることに気づいたのです。また、並べた表に空席があることから、まだ見つかっていない元素があることを予言しました。

これらの考えは、一八六九年三月に学会で発表したうえで、一八七一年、さらに論文「元素の人工的でない分類と、未発見の元素の性質を知るために、それを応用することについて」として公表しました。

このようにして、現在まで活躍《かつやく》している周期表の原型が登場したのです。

ちなみに、メンデレーエフの功績を称《たた》え、原子番号一〇一番の元素名はメンデレビウムとよばれています。一九五五年に人工的につくられた重い元素です。

はじめは四つしかなかった元素——元素論の歴史

紀元前六世紀頃《ごろ》、古代ギリシャのターレスは「すべてものは水でできている」、つまり元素は一つと考えました。それはあんまりだと、ほかの多くの学者は、火、空気、水、土の四つの元素があるとしました。この四元素説は、なんと十八世紀後半まで受けつがれました。そのころ、それまで気体といえば「空気」だけが知られ、元素の一つとされていたのですが、二酸化炭素、水素、窒素《ちっそ》、酸素といろいろな「空気」の仲間が発見されました。「空気」は元素ではないことがわかり、これらの気体の発見は、四元素説がゆらぐきっかけとなりました。

そしてフランス革命の直前、ラボアジェによって元素の考えも大きな変革を迎《むか》えます。ラボアジェはさまざまな実験をくりかえして「分解されないものが元素だ」という考えにいたり、三十三種類の元素を提唱しました。そのなかには光や熱もふくまれていましたが、とにかく画期的な考えであったことはまちがいありません。断頭台の露《つゆ》と消えたラボアジェでしたが、この考えはのちの化学者に受けつがれ、メンデレーエフの登場となるのです。

≡アボガドロ（1776—1856）≡ イタリア貴族の物理学者・化学者・法律家。トリノ大学の理論物理学の初代教授で、分子と原子の違《ちが》いをあきらかにした。

∵ 原子のくっつき方で、ものの違《ちが》いが決まる

ユリのカサブランカがカサブランカであったり、壁《かべ》が壁であるように、すべてのものの違《ちが》いは、原子の種類と原子どうしの結びつきかたで決まります。ものには、一種類の原子だけが結びついてできているものと、二種類、三種類、あるいはもっと多くの種類の原子がかたまってできているものがあります。

たとえば水素や、酸素、窒素《ちっそ》といった気体は、それぞれの原子二個がひとかたまりになった分子で動きまわる性質があります（塩素やフッ素もその仲間です）。

一方、種類の違う原子がくっついてかたまるときについては、周期表を見てみましょう。この表を見ると、どんな原子が組み合わさりやすいかがわかるのです。

原子はそれぞれ、どんな原子と組み合わさりやすいかが、少しずつ違います。

レゴブロックを想像してみてください。凸凹《でこぼこ》のつき方で、組み合わせることができるものと、できないものがあります。原子は、そんなレゴブロックに似ています。

周期表のいちばん左の列、最外殻軌道《さいがいかくきどう》に電子が一個まわっている原子を、突起《とっき》が一つあるレゴ、いちばん右から二列目、満員には電子が一個足りない原子を、凹《へこ》みが一つあるレゴと考えてみてください。いちばん右の列は、凸凹どちらもないレゴです。

このレゴの凸と凹がうまくはまればいいわけですが、そのしくみには二通りあります。具体的な物質、わたしたちの身のまわりに満ちあふれている水と食塩について、それぞれレゴの凸凹の働きを考えてみましょう。

水の粒は、一個の酸素原子と二個の水素原子でできています。水素はレゴの突起が一つ、酸素はレゴの凹みが二つ。酸素の二つの凹みに、一つの突起をもつ水素がそれぞれ組み合わさると、ちょうど凸凹がなくなり、耳のついたクマの頭のような形になります。水素の電子の軌道には二つの電子が入ることができるので、突起が一つですが、凹みが一つともいえます。そこで組み合わさると、酸素の電子を仲間にしてしっかり腕《うで》を組みます。これはとても強固な結びつきで、かんたんにははずれません。

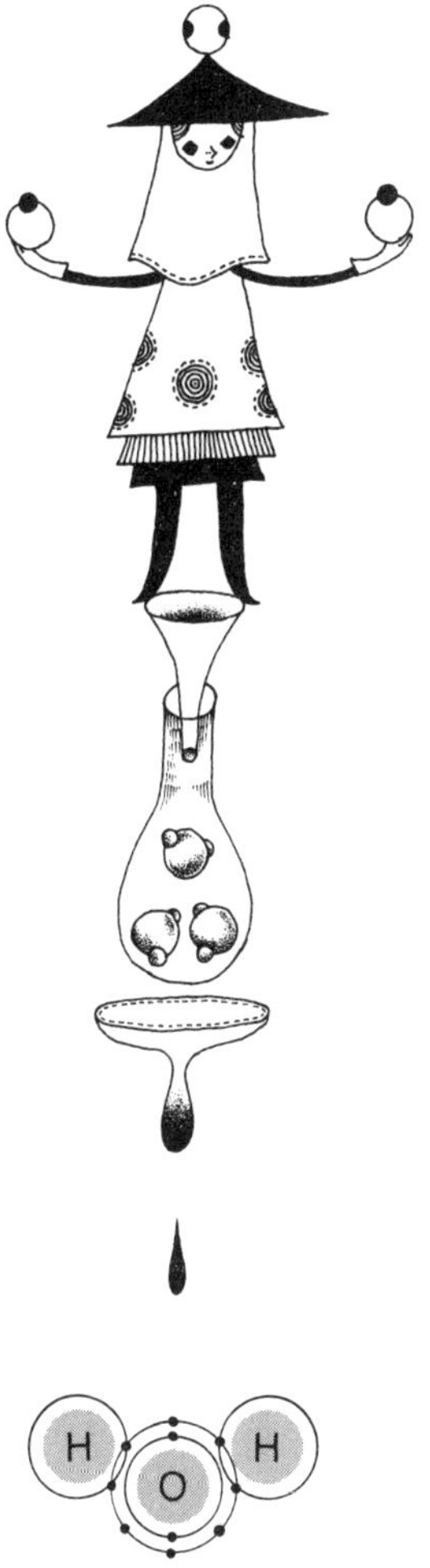

≡アボガドロの法則≡　「同温同圧のもとで、すべての気体は同じ体積中に同数の分子をふくむ」。高校で習う法則だが、当初はその重要性をなかなかわかってもらえず、アボガドロの死後にようやく再評価される。アボガドロ定数（6.022×10^{23}[/mol]）は、彼《かれ》の分子概念《がいねん》における功績にちなんでつけられた名。

ところで、レゴの凸が一つや二つ、三つといった原子は、最外殻軌道の電子の数が少ないので、その電子ははずれやすくなります。レゴの凹が一つや二つの、電子がほとんどいっぱいに詰《つ》まっていて軌道の空席が一つや二つだと、余分な電子が入って空席を埋めようとします。その結果、もともとの数と比べて電子が足りなかったり、余分にもっていたりする原子ができます。これをイオンといいます。

イオンは、本来の原子の形にもどろうとして、凸凹の数が一致《いっち》するように相手を探します。料理に活躍する食塩、塩化ナトリウム。ナトリウムは凸が一つではずれやすく、ナトリウムイオンになります。塩素は凹が一つでふとしたことで埋まってしまい、塩化物イオンになります。この二種類のイオンは、それぞれ一個ずつがくっつくことで塩化ナトリウムとなり、不完全なたがいを補完して本来のレゴの状態をとりもどし、くっついています。イオンの形も、それがくっついた形も、どちらにもなりやすいので、イオンのかたまりは水の仲間よりはずれやすくなります。

このように原子は、さまざまな条件でさまざまな固さのかたまりをつくりますが、ここでは、世界をつくっているすべての原子の形の特徴《とくちょう》を周期表が表していて、この表を参考にすると粒《つぶ》の正体や原因がたどれることをつかんでおきましょう。

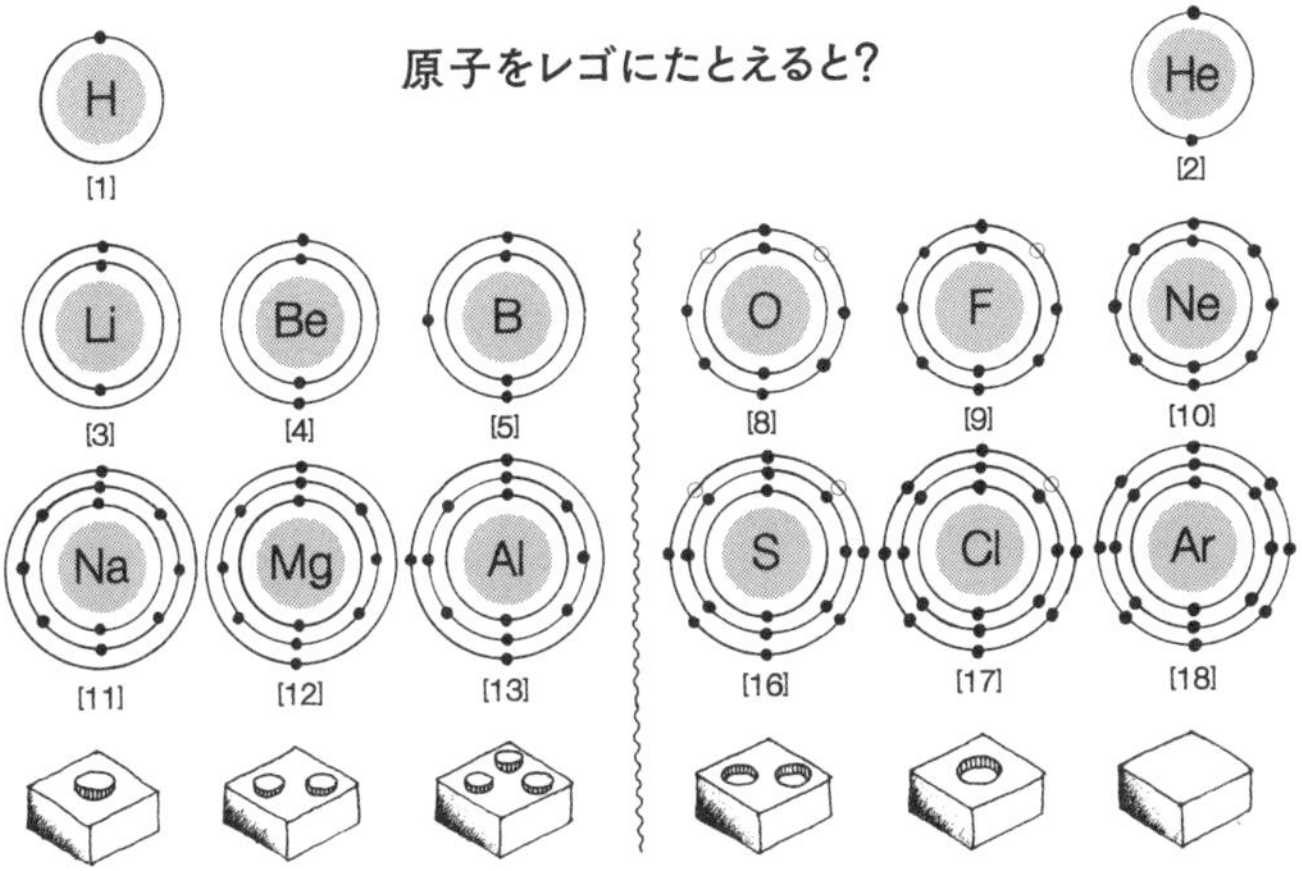

≡原子論をめぐる大論争❶≡ 1895年のドイツ自然科学者会議。著名なドイツの化学者オストワルドが、原子論について発言した。「自然についてあれこれ空想することは危険だ。原子や分子などという不確かなものを研究するのは幽霊《ゆうれい》を信じるようなもので、科学的とはいえない」。これに反論したのが、オーストリアの物理学者ボルツマンだった。

くっつきやすいものが集まり、いろんなかたまりができます。くっつくものと、くっつく個数が違うと、別のものになります。

カサブランカの花をつくっているものは、細胞《さいぼう》とよばれるかたまりです。生きものは、いろいろな形、いろいろな種類の細胞でできています。その細胞は、たくさんの種類の原子が集まった、さまざまな分子からできています。

細胞の主役は水素と酸素、そして炭素の原子。そこにほかの多くの原子がちょい役で顔を出して、複雑な機能をこなしていきます。

一方で、地上を満たす空気には、酸素や窒素《ちっそ》などの気体が混ざっています。気体の酸素は、酸素原子二つで一組の酸素分子というかたまりで動いています。気体の窒素は窒素原子二つで一組の窒素分子というかたまりで動いています。これらは水のようにしっかりと、別のくっつき方をしています。そして酸素分子と窒素分子はくっつかず、混ざっているだけです。

空気をつくっている気体の種類は、ほんの少しだけ混ざっているものもあわせるとかなり多く、面倒《めんどう》ですから、これからは空気の分子とよぶことにします。

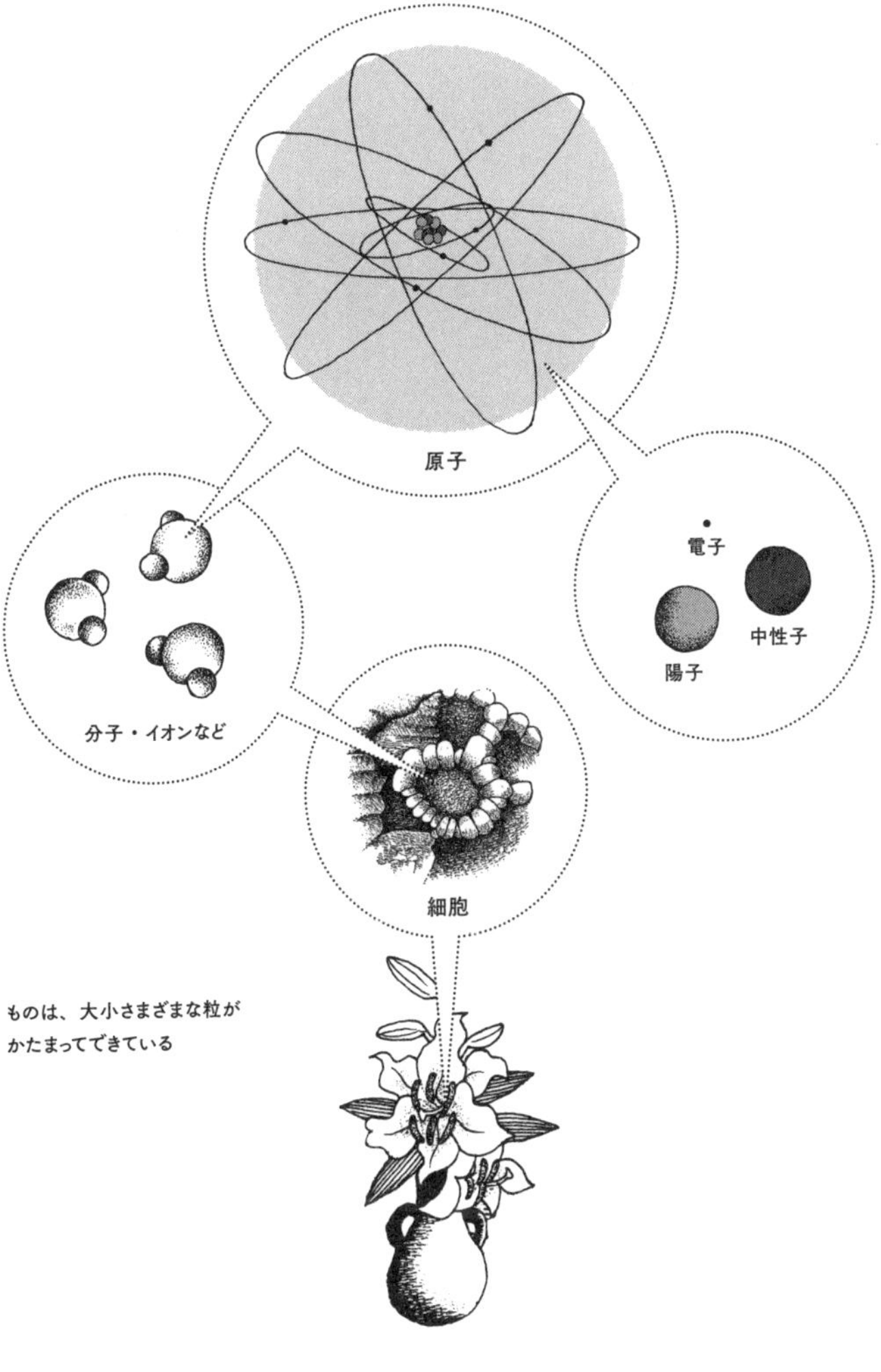

ものは、大小さまざまな粒が
かたまってできている

≡原子論をめぐる大論争❷≡ ボルツマンは、「科学の歴史のなかで原子論がどんなにすばらしい成果をあげたか。自然の姿について頭の中に描《えが》くことをしなければ、科学者は研究を進められない」と発言。この2人の対立は、ドイツ中の学者を巻きこんだ大論争に発展した。神経質だったボルツマンは論争のストレスに耐《た》えきれず、みずから命を絶った。

∵ 金はつくれる！ 現代の錬金術《れんきんじゅつ》

原子は不変のもののように思えますが、じつはそうではありません。

周期表の並び順は、陽子の数を表すと同時に、その原子の原子核《げんしかく》の重さにも関係があります。順番が前のものほど軽い原子核をもつ原子が、うしろのものほど重い原子核をもつ原子が並んでいます。

この原子核は、重さによって安定の度合いが異なり、だいたい鉄のあたりがいちばん安定した原子核です。鉄よりずっと重い原子核になると不安定で、壊《こわ》れやすくなります。原子核が壊れることを核分裂《かくぶんれつ》といいます。壊れてほかの原子核に変わることは壊変《かいへん》とよばれ、そのとき放射線としてエネルギーを放出します。

ほかに、鉄よりもずっと軽い原子では、原子核どうしがくっついて、もう少し安定した重い原子核ができることがあります。これを核融合《かくゆうごう》といいます。もっとも、原子核は陽子がプラスの電気を帯びていて、プラスどうしは退けあうので、かんたんにくっつくことはありません。しかし、太陽の中ではこの核融合が起こっていて、たとえば二つの水素が合わさってヘリウムになっていきます。このとき、原子核の質量の一部がエネルギーとなり、あの輝《かがや》きを発します。

ある原子が、核分裂もしくは核融合によってほかの原子に変わることは、宇宙空間では自然に起きています。地球上でもこれまで、特別な装置でいろいろに莫大《ばくだい》なエネルギーをかけて、じつに二千種以上のあらたな原子核を実験室でつくることに成功しています。何かの原子核と原子核をくっつけて、さらに重い新しい原子核をつくるのです。

さきほども述べたように、プラスを帯びた原子核どうしはかんたんにはくっつきません。電圧をかけて電気を帯びた粒子《りゅうし》のスピードを上げていく加速器を使い、超高速《ちょうこうそく》でぶつけて強引にくっつけます。たとえば、二〇〇四年に日本の理化学研究所が亜鉛《あえん》とビスマスの原子核を使って、原子核に百十三個の陽子をもつウンウントリウムをつくるのに成功しています。この原子核は〇・〇〇三四四秒でアルファ線を出して壊れ、レントゲニウムになりました。また、二〇〇五年、二〇一二年にもそれぞれ一個ずつ合成に成功していますが、三個の平均寿命《じゅみょう》は〇・〇〇二秒です（理化学研究所ホームページより）。このように、重い原子核は長く安定していることはなく、すぐに壊れて、やがて自然界にもともとある原子核になっていきます。

また、既存《きぞん》の原子核を壊すと、その破片は別の原子核といえます。その破片原子核のなかから、ぶつけるのに都合のよいものだけをまとめ、ビームにしてあてる方法が

≡**電子の発見❶**≡ J. J. トムソン（1856—1940、イギリスの物理学者）は、原子が最小の粒《つぶ》ではなく、高電圧をかけると原子から電子が飛びだすことを発見した。

一九八五年頃《ごろ》から日本ではじまり、さまざまなかたまりをぶつけやすくなり、新種の原子核の作成がさかんになりました。つまり、いま知られている原子核によけいな中性子がくっついた、いままでなかった原子核などもつくられています。これらは中性子や陽子の数の比が自然界の安定したものと違ってバランスが悪く、不安定ですぐ壊れます。従来の安定した原子核に対して、このように短い時間ながら存在する不安定な原子核をエキゾチック原子核とよぶとか。

原子核の謎《なぞ》は、宇宙の生成から身のまわりのすべてをつくる物質にまでかかわりのある重要なテーマで、その謎を解いて人類の文明や生活に役立てていけるように、このような研究がなされています。

つまり、現在、わたしたちは、つくろうと思えば金をつくりだすことができるのです。理論的には、白金の原子核に陽子を一個加えるか、水銀の原子核から陽子を一個はぎとるかすればよいわけで、錬金術《れんきんじゅつ》は可能です。ただし、かかるエネルギーとコストが莫大なので、まったく割があわないのも事実です。

一九四一年、ケネス・ベインブリッジが、水銀を金に変えることに成功したという話があります。彼《かれ》は、原子爆弾《げんしばくだん》の開発を進めたマンハッタン計画の中心人物の一人。

原子核に関するさまざまな試みの過程で、金の生成に成功したのかもしれません。

じつは、金といっても、原子核を見ると、陽子の数は七十九個と決まっていますが、中性子の数が違う仲間が多くあります。水銀も同様です。水銀の陽子の数は八十個と決まっていますが、やはり中性子の数が違う仲間が多くあり、そのなかのいくつかは、原子核が不安定で変化しやすくなっています。そして軌道《きどう》上の電子(電気的にマイナス)を原子核にとりこむことで、一つの陽子(電気的にプラス)が中性子(電気的に中性)に変わるという現象を起こします。陽子が一つ消えることで陽子の数は八十個から七十九個となり、物質としては金になります。

現在では、原子炉《げんしろ》などのきわめて高いエネルギーの高速の中性子を水銀原子核にぶつけ、安定した水銀原子核がもともともっている中性子を何個かたたき出して不安定な原子核をつくり、それから金に変えるという、核変換《かくへんかん》技術が理論上可能であることは知られています。東海大の学生が原子力発電所にある加圧式軽水炉を利用して金をつくる方法を想定し試算をした研究報告を見たことがあります。これによると、一年近くかけて、使用する水銀の三千分の一の金がようやくつくれる計算結果だとか。元手や労力、リスクを考えると、錬金術はやっぱりなかなか割にはあわないようです。

≡電子の発見❷≡ 中学の教科書には、高電圧をかけたガラス管内にできる緑色の線の写真が、「陰極線《いんきょくせん》」として出てくる(電子が緑色というわけではない)。トムソンは陰極線の正体が電子であることをつきとめ、その質量を測った。また、電子が負の電荷を帯びていることをつきとめた。

∵ 空気分子はどんなふうに動く？

ところで、大気中には空気分子が飛んでいますが、ふわふわ浮《う》いているのでしょうか、ぶんぶん飛んでいるのでしょうか。

風が吹《ふ》くと、空気が顔にあたります。このときは、空気はビュンと飛んできているような気がします。静かなときには、飛んでいるようなイメージを抱《いだ》くことはできません。本当にそうなのでしょうか。

花粉のように形のはっきりあるものの原子は、わりとじっとその場にいるように見えました。

水のように自由に形を変えるものは、想像するに、じっとしていそうにありません。あ

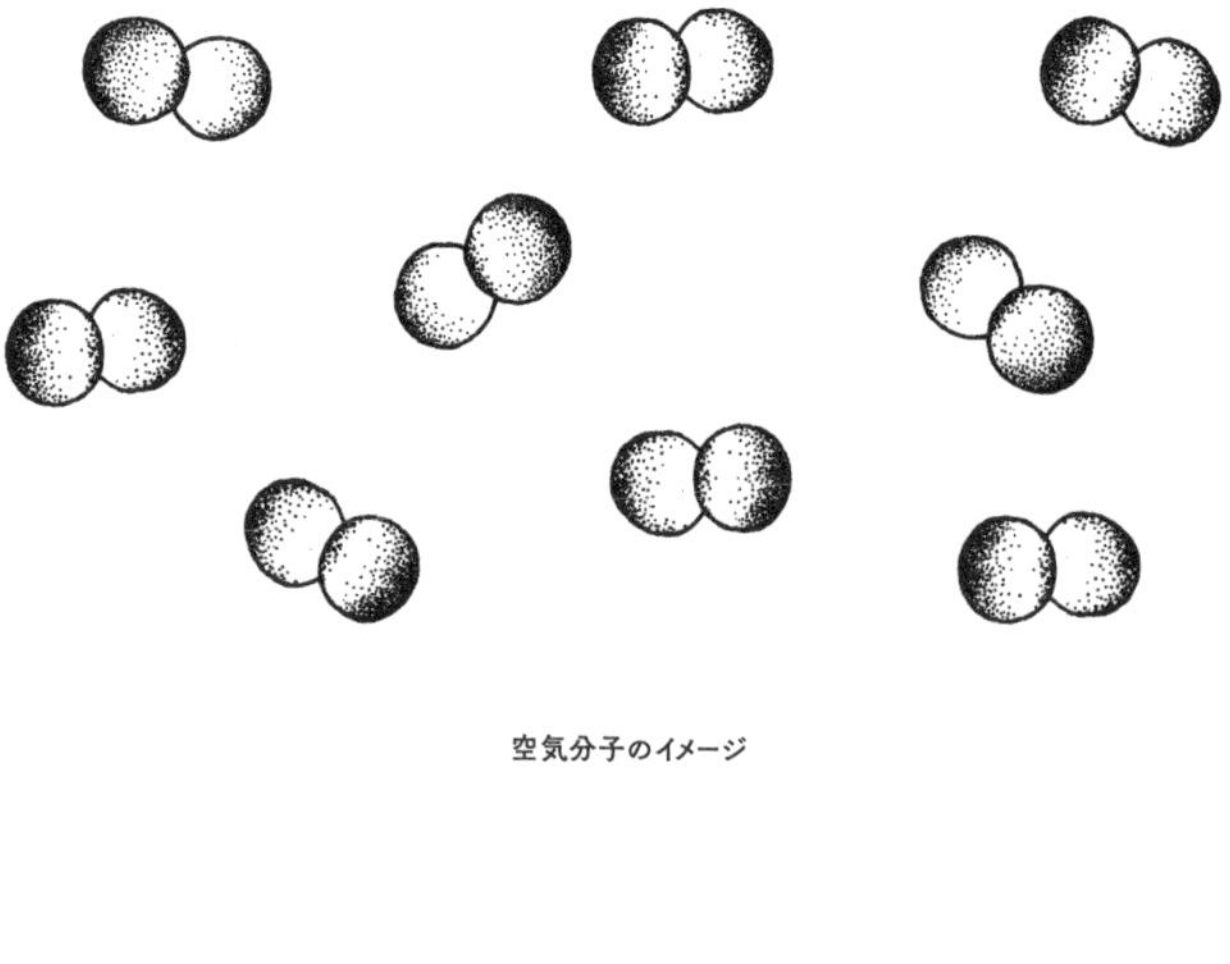

空気分子のイメージ

ちこちスルスル動いていきそうです。

では、水が凍《こお》ったらどうでしょう。水と氷は同じ水の分子からできているはずです。それなのに、氷は固く、氷のなかの水の分子は、たぶん花粉のようにじっとその場にいそうです。

同じ水の分子でも、水と氷、何が違《ちが》うかといえば、温度が違うだけです。

水をもっと熱くしていくと、沸《わ》きたって蒸発をはじめます。

これは水蒸気。空気の仲間になってしまいます。スルスル動いていた水の分子が、もっと自由になって、空気中に飛びだしていくようすが想像できます。

じつは、空気をどんどんどんどん冷やすと、マイナス百八十三度で空気の中の酸素は水のようになり、マイナス百九十六度で空気の中の窒素《ちっそ》も水のようになります。つまり、空気は冷やしていくと、ぜんぶが水のようになるのです。わたしたちが生きているふつうの世界は、そんなマイナス百度台の世界よりははるかに温かいはずです。

ふつう、空気分子は、そんな温かい世界にあるわけです。とすると、どうも、ただふわふわ浮いているよりは元気よく飛びまわっていると考えられます。

≡放射線と原子核《げんしかく》の発見≡ ラザフォード（1871―1937）は、1908年にノーベル化学賞を受賞した物理学者。放射線のα《アルファ》線とβ《ベータ》線や、原子核を発見。放射性元素が壊《こわ》れていって鉛《なまり》に至ることをボルトウッドとともに発見し、α線がヘリウムの原子核であることも発見した。ちなみに、β線の正体は電子。

さあさあ、液体窒素の実験だ。
マイナス196℃の世界では、
みんな凍ってしまうよ。
ほらほら、バナナもこのとおり。

凍ったバナナは、
金づちよりもかたいんだ。

∵ スーパーボールで分子運動をイメージ

分子のようすを、氷や金属のような固体、水のような液体、空気や水蒸気のような気体、それぞれについて、イメージしてみようと思います。かごにスーパーボールをたくさん並べて入れ、ラップで覆《おお》ったものを用意します。これが分子のかたまりである固体です。

実際に熱するかわりに、ゆすることにします。熱するということはエネルギーを与《あた》えることです。そこで、ゆり動かしてエネルギーを与えることにします。

ちょっと待って、熱と運動ではぜんぜん違《ちが》うのでは？――そう思う人も多いことでしょう。じつはそれほど違うわけでもありません。

温かいストーブに手をかざすと、冷えた手のひらを温めることができます。では、手と手をこすりあわせてみるとどうですか。熱くなります。摩擦《まさつ》は、ものとものがこすれあうことです。運動のエネルギーでも、ものの温度は上がります。

熱することも、動かすことも、分子の動きを激しくします。分子が激しく動いていることを、わたしたちは、温度が高い、熱いとよぶのです。

≡原子モデルをめぐる論争❶≡ ラザフォードによって、原子は、原子核《げんしかく》のまわりを電子がまわっている構造（土星型）であることがわかる。それまで、原子の構造については、スイカの種のように中に電子がちらばっているとする説との論争があった。

話をもどしましょう。

熱のエネルギーを与えるように、さきほどのかごを少しだけ静かにゆすってみましょう。ほんの少し温めたわけです。

きれいに並んだスーパーボールはわずかに振《しん》動《どう》するだけです。

これが固体の分子のようすと思ってください。固体は形が決まっていて、分子の動きも静かです。

では、もう少し大きくゆすってみます。

表面にあたる上のほうのスーパーボールが動きはじめました。これが液体のようすです。

エネルギーをもらった分子は、固体の状態から変化して、少し自由に動きはじめています。もともとあった位置にかかわりなく、少し別の場所に移動する分子もあります。これをみると、か

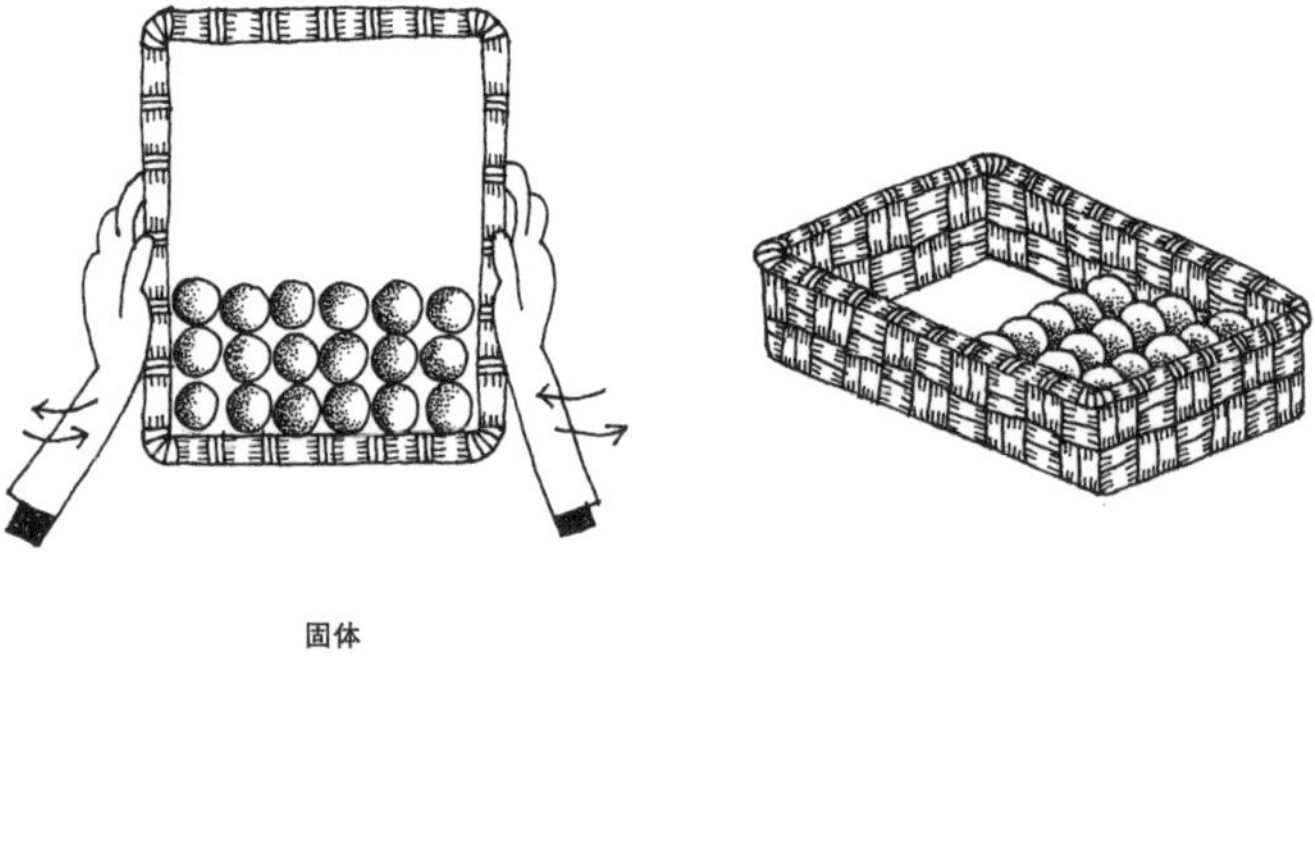

固体

ごの形が変わっても、それにあったように動いていきそうで、液体が入れものによって自由に形を変えられることも想像できます。

最後に、かごを思いっきりゆり動かします。

さあ、大きなエネルギーを与えました。スーパーボールは一つ一つ、てんでばらばらに激しく動いて、かごの壁《かべ》やラップにバチバチ衝突《しょうとつ》します。

これはスーパーボールの一つ一つがとても大きな動きのエネルギーをもった状態です。

もしもかごやラップでさえぎらなかったら、あちこち自由に飛んでいってしまいそうです。

これが気体のようすです。気体は分子の運動が激しい、エネルギーが大きい状態です。

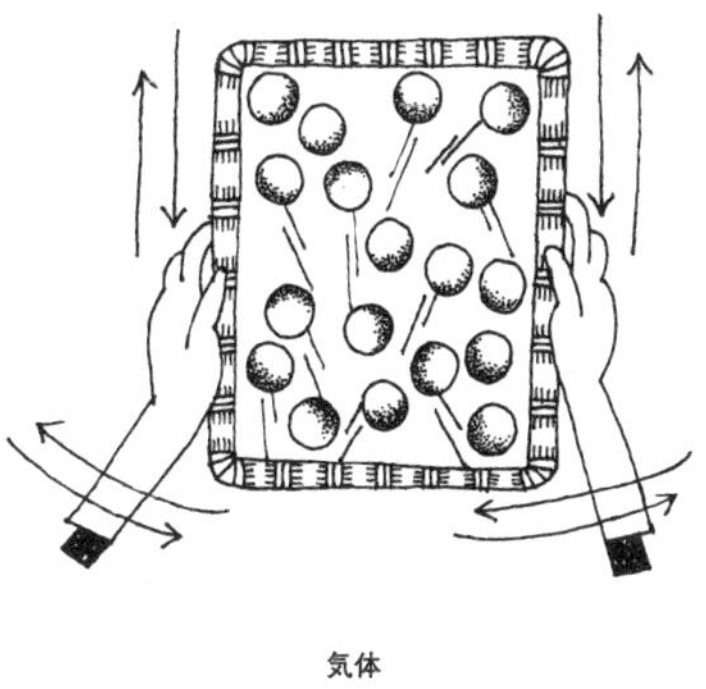

気体

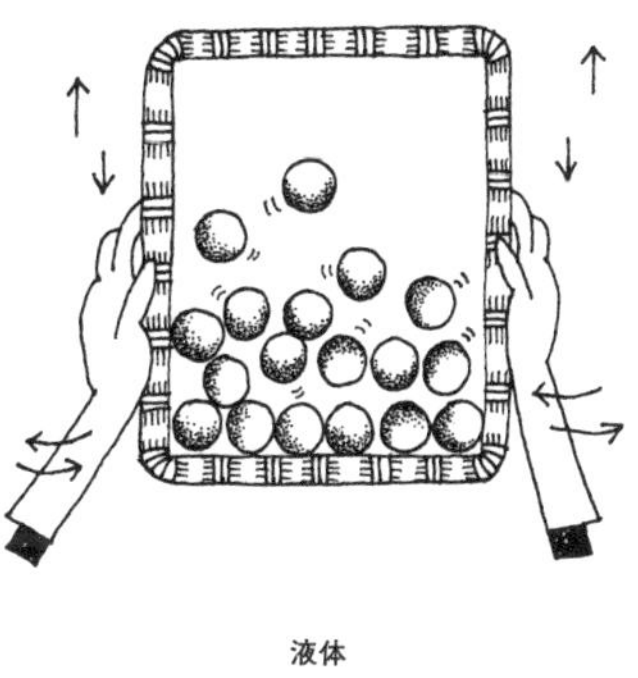

液体

☰原子モデルをめぐる論争❷☰ スイカ説は、J. J. トムソンが発表。ジャン・ペランや長岡半太郎《ながおかはんたろう》は、電子がまわりをまわる土星型を提唱。1911年にラザフォードがα《アルファ》線の散乱実験で原子モデルを完成し、土星型のモデルに軍配が上がった。

原子の実在を証明したペラン

——水分子の大きさの決定

アインシュタインの方程式〈29頁《ページ》〉によれば、水中の微粒子《びりゅうし》の数は、重力があることによって、容器の底から上にいくにしたがい一定量ずつ少なくなるはずでした。

一九〇八年、フランスのジャン・バプティスト・ペランは、さまざまな高さのところにある微粒子を数え、その数とそのほかの実験結果をアインシュタインの方程式に代入しました。そして、ついに水の分子の大きさを求めることができたのです。その後も条件を変えて実験をくりかえしました。

こうして、分子の大きさが具体的に求められたことによって、分子をつくっている原子の実在がようやく認められたのです。

さて、ペランが求めた水の分子の大きさはどのくらいだったと思いますか。もし、一滴《てき》の水を全世界の八十億の人びと（現在、約七十一億六千二百万人）に等しく分けたら、一人あたり何個の分子がもらえるでしょう。

——答えは、二兆個です。

分子は目に見えません。

でも、ものの温度は、測ることができます。

温度と分子の動きの活発さにはかかわりがありました。つまり、温度によって分子の動きを類推することができます。

∵ 分子どうしをつなぐばね

ところで、氷から水になるときに温度を測っていると、零《れい》度でしばらく温度が上がらなくなります。水から水蒸気になるときも同じです。百度でしばらく温度が上がりません。温度が上がらないということは、分子が動きまわるスピードは変わらないということなので、このとき、加えた熱はどこかへ消えたように見えます。

さきほど、スーパーボールを分子のかわりと言いましたが、じつは、固体や液体の分子どうしは、バラバラなスーパーボールと違《ちが》って、つながりのようなものがあるのです。それは、よくばねにたとえられます。

固体の分子はきれいに並んでいて、細かく振動《しんどう》していて、おたがいのあいだのばねが伸びたり縮んだりしています。熱を加えていくとだんだん振動が激しくなって、こ

≡史上初の核実験《かくじっけん》とベインブリッジ≡ 1945年7月16日、アメリカで初の核実験がおこなわれた。この原爆《げんばく》実験の威力《いりょく》に衝撃《しょうげき》を受けたベインブリッジ（p.40「金はつくれる！　現代の錬金術《れんきんじゅつ》」を参照）は、"Now we are all sons of bitches!"（ああ、おれたちはみんなくそったれだ！）と自分たちをののしったという逸話《いつわ》がある。

のばねがところどころ切れるようになります。消えてしまったように見えた加えられた熱は、分子を動きまわらせるかわりに、もっぱらこのばねをぷちぷち切るのに使われます。

液体が気体になるときも同様で、ある一定のところで温めても温度は変わらず、分子が動きまわるスピードも変わりません。けれども、そのとき、目に見えない世界では、すべての分子どうしのつながりがつぎつぎにぷちぷち切れていきます。やがてぜんぶ切れると、みんな自在に空気中を飛びまわり、容器から水の姿が消えます。

さて、空気の分子はこの水蒸気と同様、自由に飛びまわる気体です。空間を自由に、勢いよく飛びまわっています。

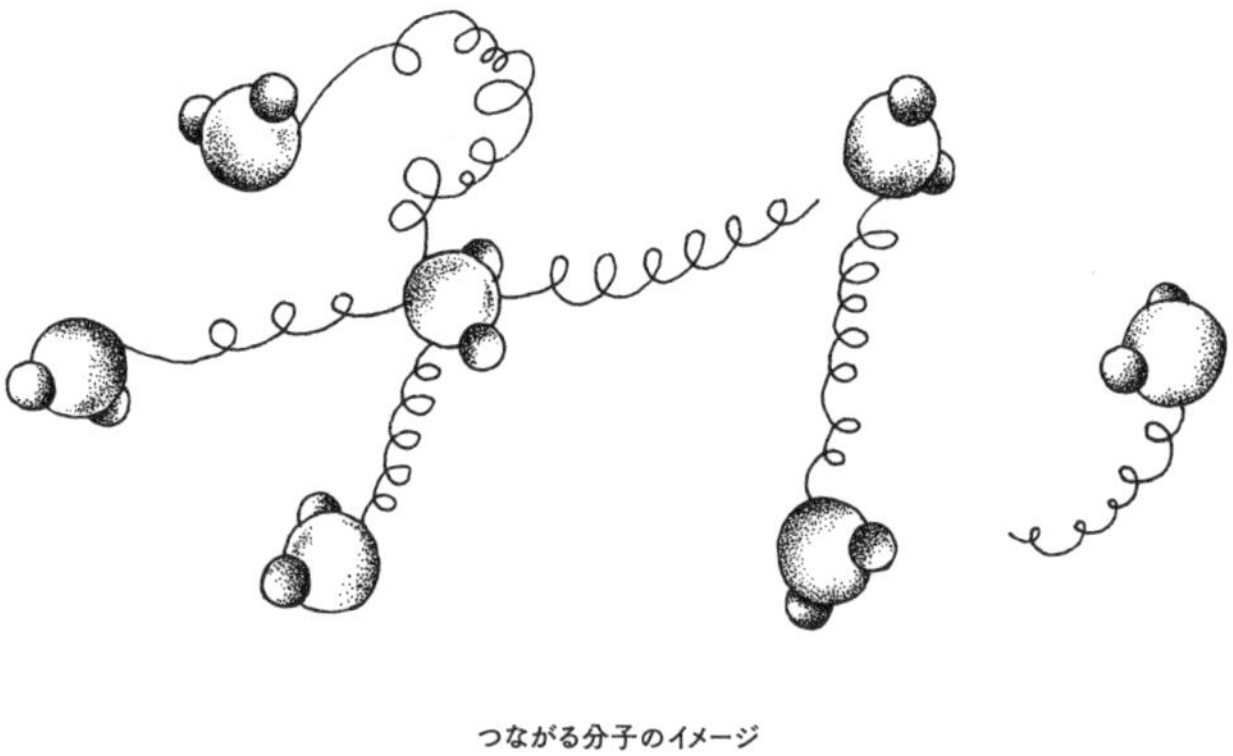

つながる分子のイメージ

かごのなかのスーパーボールは、振《ふ》りまわすと、ラップやかごの壁《かべ》に勢いよくぶつかって押《お》しました。空気の分子も同様で、飛びまわっては壁や床《ゆか》やあらゆるものにぶつかり、それを押しています。
こんなふうに押す力を空気の圧力とよびます。

∵ 粒《つぶ》とその動きがつくりだす世界

さあ、ここまでで見てきた、世界をつくる粒《つぶ》で、あらためて絵を描《えが》いてみましょう。もうおわかりでしょうが、本当は、粒はあまりに小さくて、最初のスケッチのようには描けないのです。それでも、それぞれの雰囲気《ふんいき》は表せるかなと思います。

こんどは規則的に並んでいる金属の部分も、一つ一つの原子が少し振動《しんどう》していて、たがいのあいだはつながっているように描きましょう。

カサブランカの花は、大小さまざまな粒が複雑に手をつなぎ、からみあって、一つ一つの生きものの単位である細胞《さいぼう》をつくっています。これらもゆれていたり、なかにらは動きまわっているものもいます。もちろん、細胞の中には水分も多いので、液体らしく、あるていど手をつなぎ、あるていど自由に、動きまわっている水分子も混ざっています。

空気は、数種の気体が混ざって、勢いよく飛びまわっている感じで描きましょう。その中には、きっと水分子も混ざっています。湿度《しつど》があるということは、水の分子をふくんでいるということですから。

目に見えない、気が遠くなるほど大きく拡大しなければとらえられない世界——。左の絵を手がかりに、あなたのイメージで仕上げてみてください。

II

一本のストローから——空気には圧力がある

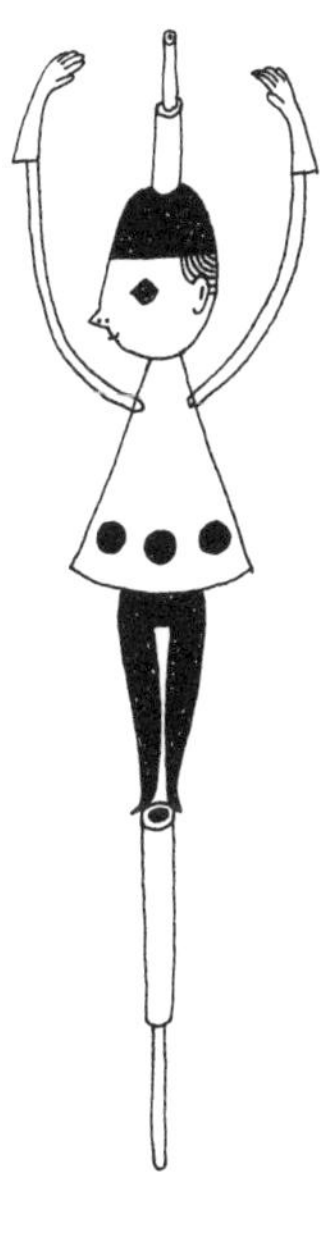

∴ 紙パックのストローのくふう

一人用の紙パックのジュースを飲んだことがありますか。野菜ジュースやくだもののジュース、牛乳など、ちょうどコップ一杯《ぱい》くらいのほどよい量で、昼食時などには重宝します。

この紙パックジュース、本体についているストローをとりはずして伸ばし、とがった先で紙パック上部のストロー穴に突《つ》きさします。飲んでいって中身がなくなってくると、紙パックがつぶれてきて飲みにくくなるのが難点です。

ところで、最近はこの紙パックのストローに不思議なくぼみがついています。くぼみは溝《みぞ》状で、ストロー穴に近い部分の側面に、一〜二センチメートルの長さで、タテに細く浅く入っています。ストローを持って伸ばしたり、ストロー穴に突きさしたりするときに、すべらないようにするためでしょうか。くぼみが入るほうが製作工程上、つくりやすいのでしょうか。

いろいろ考えながら飲んでいると、やがてその理由がわかりました。

紙パックがつぶれないのです。中身がほとんどなくなっても、もとの形のままで、最後まで苦労せずに飲みきることができます。一部の商品はエキストラエチケットストローというとか。飲んで口を離《はな》すときに下品な音がしないという宣伝文句でした。

紙パックの上部に丸く開いた穴は、ぴったりとストローの側面に密着しています。ところが細い溝があると、その穴とストローのあいだにわずかなすきまが生じます。ジュースを飲んで中身が減っていくと、中身が減ることで紙パックがつぶれていきます。しかし、溝があればすきまから空気が入って、紙パックがつぶれることはありません。

もっとも、紙パックをつくる会社とストローをつくる会社が別なのか、溝の目的をよく知らずにセットされてできているジュースがまれにあって、溝の位置が、どうがんばっても差しこんだ口に届かないことがあります。せっかくのアイディアがもったいないですね。

≡**中空の麦わら：straw**≡ もともとは麦わらがストローとしてよく使われていた。日本でも昭和30年頃《ごろ》には、喫茶店《きっさてん》のドリンクに麦わらが添えられ、1本ずつ紙に包んだものまであった。三鷹《みたか》の森ジブリ美術館のカフェ「麦わらぼうし」では、いまも麦わらのストローで飲める。

古代人が使ったストロー

あたりまえに使っているストローですが、突《つ》きさすだけで、細い口の入れものからも、大きな瓶《びん》からも適量が飲めるという、この便利なものをいつごろから使いはじめたのでしょうか。

これはかなりむかしから、自然に使いはじめたようです。古代エジプトの壁画《へきが》に、ビールとおぼしきものを瓶からストロー状のもので飲んでいるようすが描《えが》かれています。そもそも、ビールとワインは古代世界では、給料として支払《しはら》われたほど価値のある、そして親しみやすく必要不可欠な飲みものでした。この歴史もおもしろいのですが、いまはストローの話です。

むかしのビールは十分にこされていなかったので、もみや砂粒《すなつぶ》などの残留物が口に入り、飲みにくいものだったようです。そこで、葦《あし》のストローの先端《せんたん》に網《あみ》をつけたもので飲んだのが、記録に残る最古の利用法です。

日本におけるストローの歴史は浅く、明治三十四年頃《ごろ》、麦わらを利用したものがはじめといわれています。もっとも、それまで生活のうえで、葦や麦わら、竹筒《たけづつ》を、水を吸いあげる道具としてまったく使わなかったかというと、そうではないと思われます。筒状のものは、火吹《ひふ》き竹として、息を吹きつける道具として使われたり、忍者《にんじゃ》が水中で息をするために使うようすが伝わっているくらいなので、水を吸いあげる道具としても、活《かっ》躍《やく》する場面はあったことでしょう。

∴馬方《うまかた》が使ったカヤの長さは？

昔話に「やまんばと馬方《うまかた》」という話があります。山越《やまご》えをする馬方の男がやまんばに追われ、やまんばの家に逃《に》げこんで隠《かく》れ、知恵《ちえ》を使って最後にはやまんばをやっつける話です。

馬方が逃げこんだのは、やまんばの家でし

≡吸って飲む❶≡ アフリカやネパールなどの多くの地域で、穀物を発酵《はっこう》させてつくったビールを直接ストローで飲む習慣が、いまも残っている。

た。土間の梁《はり》の上に隠れていると、家に帰ってきたやまんばは、炉端《ろばた》で甘酒《あまざけ》を炊《た》いているうちに居眠《いねむ》りをはじめます。おなかがすいていた馬方は屋根のカヤを抜《ぬ》いて、それで甘酒を吸いあげてしまいます（むかしのカヤぶき屋根をイメージしてください）。このの ち、やまんばが目を覚ましてだれが甘酒を飲んだと騒《さわ》ぐのをうまくやり過ごし、つぎには餅《もち》まで食べてしまうくだりに続くのですが、このときのカヤ、これは、まさにストローです。

梁から炉端の甘酒を飲んだのですから、どのくらいの長さがあったのでしょうか。カヤぶき屋根の材がチガヤやススキでは一メートルに満たないので、これはヨシ（葦）を使った屋根だったのでしょう。これなら一本で四〜五メートルの長さがありますから、梁から三〜四メートルは下にあったであろう甘酒も飲めたはずです。吸いあげるのに苦労したでしょうが、空腹にはかえられませんね。馬方はさぞ必死に吸ったことでしょう。

ところで、この梁の高さが、もし、十メートルだったら、そんなに長いヨシはありませんが、もしあったとしたら、馬方は甘酒を飲めたでしょうか。じつは、どんなにがんばっても飲めなかったはずなのです。

ストローで吸いあげることのできる高さには限界があります。水やジュースならおよそ十メートル。それ以上は、どんなにがんばっても吸いあげられません。

もともと、そんなに長いストローはありませんから、いっしょうけんめいつないで実験した理科の先生のお話を聞きました。五メートルにもなると、もう、ちょっとやそっとでは口で吸いあげられないくらい、なかなか水が上がってこなくて、本当にたいへんだそうです。

≡吸って飲む❷≡ 吸うと液が出ることから、赤ちゃんもストローで飲むことができる。個人差が大きいが、生後5〜6か月くらいから使えるようになる。

∴ 吸引ポンプと「十メートルの限界」

ストローだけではありません。もっと大規模には、鉱山の排水《はいすい》も、水を吸いあげる話です。

吸引ポンプでは、ある高さ以上まで水を引きあげられない——この事実は、地中深くから直接水を吸いあげる必要があったむかしから、広く知られていました。

限界をくわしく調べた一六三五年測定の記録では十八ヤード、一説ではガリレオが測ったとも。このヤードはイタリアで使われていた古い単位で、現在使われているメートルでは、およそ九〜十メートルとなります。

この十七世紀初頭といえば、日本では一六〇〇年に関ヶ原の戦いが起き、その後、徳川家康《とくがわいえやす》が江戸《えど》に幕府を開いたころのことです。

ヨーロッパでは工業制手工業がはじまり、「つくって売る」という経済活動が活発になりました。船乗りたちが新天地を求めて世界中をめぐった大航海時代を経て、地球上の多くの国ぐにのあいだで行き来が可能になり、商取引が一気に拡大しはじめました。一方でスペイン、イギリス、フランス、オランダなどの強大な国ぐにが激しく覇権《はけん》を争っていました。

この結果、大砲《たいほう》と貨幣《かへい》が重要になり、金属の採掘《さいくつ》に拍車《はくしゃ》がかかりました。ところが、鉱山も浅い場所を掘《ほ》りつくせば、深くしていくしかありません。地中に掘りすすめばすすむほど、じゃまになるのは掘った土だけではなく、わき出してくる水でした。

もともと、灌漑《かんがい》のための揚水《ようすい》や鉱山などの排水では、水をいかにうまく運びあげるかが課題でした。古くはアルキメデスのらせんポンプが使われていて、らせん状のスクリューで、筒《つつ》の中の水をじょじょに上に持ちあげていく方法がとられました。これはポンペイの遺跡《いせき》でも発見されています。

一二〇六年になって、トルコのアル・ジャザリが揚水機をつくりました。これは吸引ポ

アルキメデスのらせんポンプ

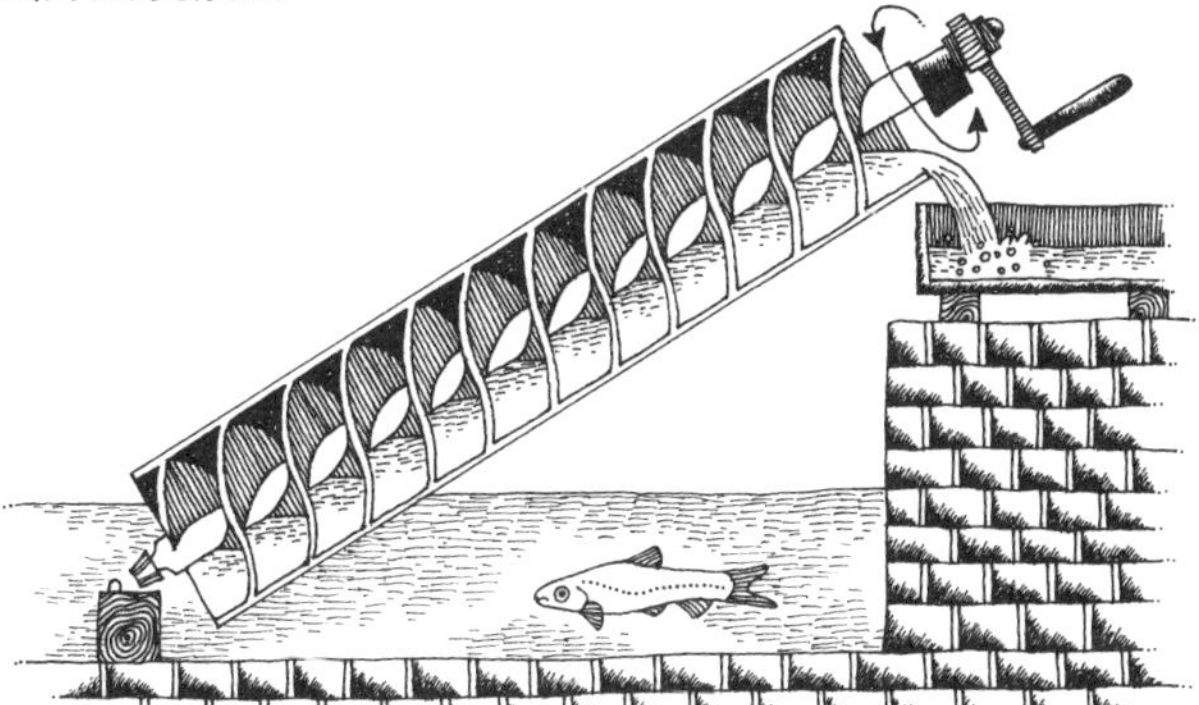

≡空気とポンプ≡ 井戸《いど》は紀元前からあり、浄水《じょうすい》用の水くみ方法もくふうされていたが、大気圧を利用したのは13世紀。ギリシャ・ローマの科学技術を吸収したアラビアでつくられた。手《て》押《お》しポンプ井戸は、最初に中の空気を追いだして、水で満たせるように「呼び水」をしないと水が出ない。

ンプの原理を利用しています。このポンプは東ローマ帝国《ていこく》のくみ上げ機を参考にしたものといわれ、水車で動きました。二つの水平に向きあうピストンが上下して吸引パイプで吸水し、上部から排水します。

鉱山での排水との戦いはむかしから続いていましたが、さまざまなくふうを経て、吸引ポンプにより、なんとかやり過ごしていました。

それが、深く掘りすすむにつれて、吸引式ポンプの「十メートルの限界」につきあたり、突然《とつぜん》、役に立たなくなってしまったのです。

吸引式のポンプは鉱山の採掘がさかんなイタリアなどにも広まっ

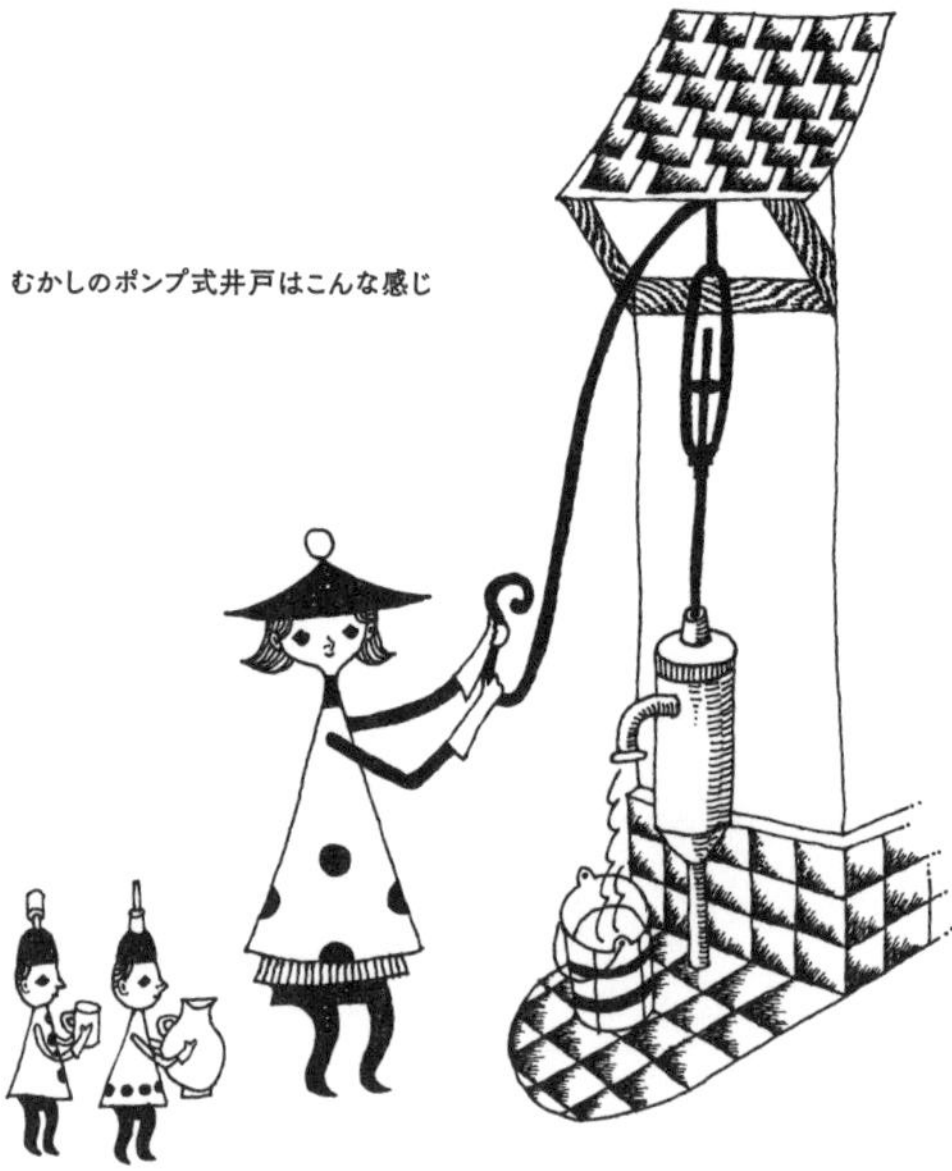

むかしのポンプ式井戸はこんな感じ

ていて、鉱山関係者の悲鳴はガリレオに届きました。当時のイタリアのトスカーナ公がガリレオに揚水の相談をしたともいわれています。この問いの答えは、いまはわかっています。それについては、もう少しあとにしましょう。

ストローをとり巻く空気の重さ

ストローも、吸引ポンプも、空気にとり巻かれています。じつは、ストローでジュースが飲めるのも、吸引ポンプに十メートルの限界があるのも、みんな空気にとり巻かれている、この地上だから起きることなのです。

わたしたちをとり巻いている空気は、たとえば巨大な風船を受けとめるときに感じるように、重さがあります。それでも、地上から上空までただ漂《ただよ》っているだけで、はかりなどに「乗せて」重さを量れるようには思えません。

この重さを感じてみましょう。

一般的《いっぱんてき》な下敷《したじ》きの真ん中に粘着《ねんちゃく》テープでビニールひもをとりつけ、ひっぱり上げようとしてみてください。大きな重みがかかっているのがわかるでしょう。

≡空気をめぐるクイズ❶≡ 地球をとり巻く空気の厚さは、地球の半径に対してどのくらい？……［答え］地球の半径は約6400kmで、空気の厚さは約80kmだから、80分の1くらいの薄《うす》さ。

どのくらいの重さかというと、下敷き一枚にかかる空気の重さは、約四百五十キログラムです。

どこの空気が乗っかって、こんなに重くなっているのでしょう。それは、見上げる空にまで続いてある、地球をとり巻く厚い大気です。

空気も、水も、地球の重力によって地上に引きとめられています。空気は軽く浮《う》いているもののような気がしますが、けっしてそんなことはありません。むしろその重さで地球の重力に引きつけられ、地上にたまっています。

そんな大気という気体の海の底に、わたしたちは暮らしているのです。

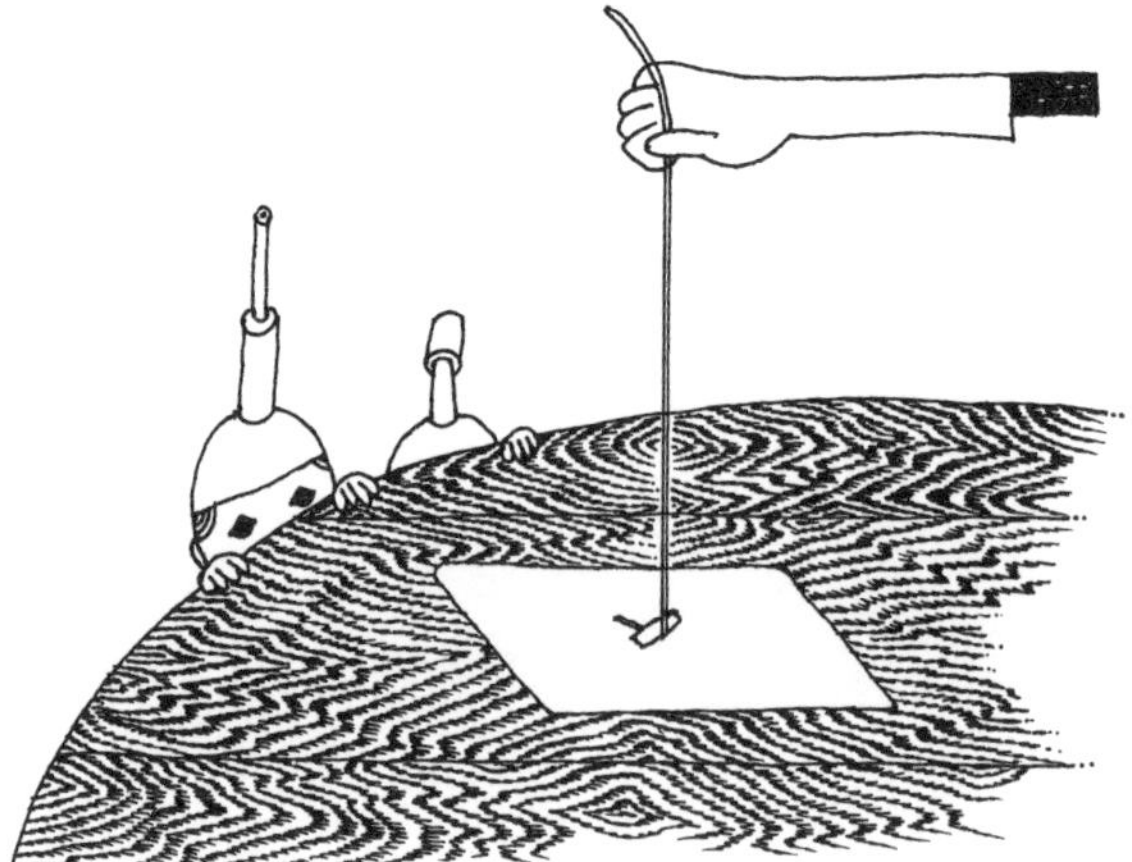

水銀柱でわかる大気圧——mmHg《ミリメートルエイチジー》とhPa《ヘクトパスカル》

一六四三年、イタリアの物理学者トリチェリは、水銀を満たした長いガラス管を、水銀を入れた容器に空気が入らないように口を下にして浸《つ》け、閉じた底のほうが上になるようにして立てました。すると、ガラス管の上のほうに水銀のない、何もない空間ができました。どこからも空気は入れないので、ここは真空である、と彼《かれ》は考えました。ガラス管内の水銀柱の高さは、およそ七百六十ミリメートルでした。トリチェリはさらに実験を重ね、この水銀の液柱は、上は真空で押さえるものがないため、ガラス管の周囲の水銀が大気の圧力によって押《お》しあげられたものである、つまり、液柱の高さで大気圧の大きさがわかると結論づけました。

標高ゼロメートルで標準的な大気状態のときに大気が押す力を、一気圧といいます。一気圧で水銀（元素記号Hg）が七百六十ミリメートルの液柱になることから、一気圧は七百六十mmHgといいます。また、これを天気予報でおなじみの圧力の単位Pa（パスカル）で表すと、千十三hPa（ヘクトパスカル〔hは百〕）。大気の圧力は、真空の理解と切っても切れない関係にあります。

≡空気をめぐるクイズ❷≡ 空気のおもな成分は何？……［答え］窒素《ちっそ》78％、酸素21％、アルゴン0.9％（計99.9％）。ほかに、二酸化炭素、ネオン、ヘリウム、メタンなど。

…空気はあらゆるものを押《お》している

I章でも見てきたように、空気は、酸素や窒素《ちっそ》、二酸化炭素などの気体が混ざったものです。どれも、それぞれの原子どうしがくっついて、分子という小さな小さなかたまりをつくって行動しています。

空気をつくっている気体の種類は、窒素や酸素のほかに、ほんの少しだけ混ざっているものがいくつもあり、これらをまとめて空気分子とよんできました。

さて、この空気分子がどんなふうに、下敷《したじ》きに乗っかっているのでしょう。わたしたちがブランコに座るように、みんなでひょいと乗っかっているから重いのでしょうか。それとも、トランポリンで跳《は》ねて遊ぶように、下敷きの上で暴れているから重いのでしょうか。

実際はI章で考えたように、空気分子は、自由に飛びまわる気体でした。空間を自由に、勢いよく飛びまわっています。

では、そこに箱を持ってきたらどうなるでしょう。ふたを開けた箱なら、空気は自由に出入りして、箱の中も外も同じように飛びまわるでしょう。それからふたを閉めても、内も外も同じように空気分子は飛びまわると思えます。

ただし、何もないときと違《ちが》うことが一つ。箱の壁《かべ》にぶつかります。

こんなふうに空気は、身のまわりでも、飛びまわっては壁や床《ゆか》やあらゆるものにぶつかり、それを押《お》しています。

箱の壁に注目してみましょう。飛んできた空気分子は、壁にじゃまされて進めないので、ぶつかるしかありません。

壁の内側からも外側からも、同じくらいの数、同じくらいの勢いで、さまざまな向きから、空気分子がぶつかってきます。

空気分子の動きを矢印で書いてみました〈次頁《ページ》の右上図〉。これが壁を押す力になりま

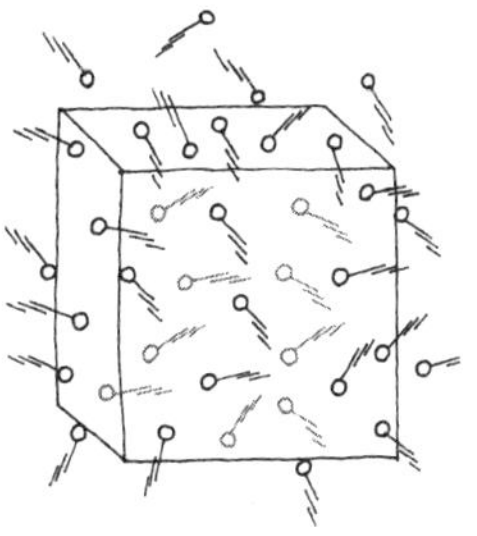

ふたを閉じた箱

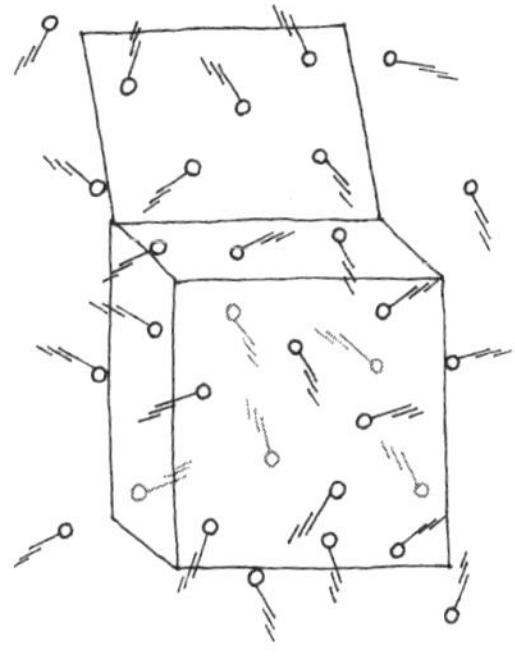

ふたを開けた箱

≡空気の主成分「窒素《ちっそ》」の発見≡ ラザフォード(1749—1819、スコットランドの化学者)が1772年に発表。二酸化炭素の中ではロウソクが燃えないことも発見した。イギリスの科学哲学者《てつがくしゃ》・プリーストリーや、ラボアジェが先に発見したともいわれる。

す。いろんな角度でぶつかるから、いろんな向きの力です。

ただ、壁を押すということをそれぞれの面で考えたとき、そのうちの壁に垂直な向きだけを書いて、大小を比べると、壁がどちら側に押されるかがわかります〈右下図〉。こんなふうに、反対向きで同じ大きさならば、力はつりあっていて、力が働いていないのと同じと考えることができます。

ではつぎに、下敷きについて考えるために、箱の上側をとりさって、底の一枚の壁にしてみましょう。

閉じこめられていた空気分子は自在に飛んでいきますが、底の壁にはあいかわらず上からも下からも衝突《しょうとつ》しています。

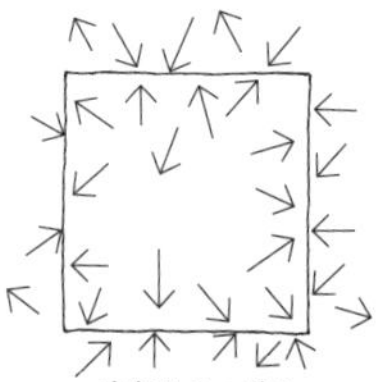

空気分子の動き

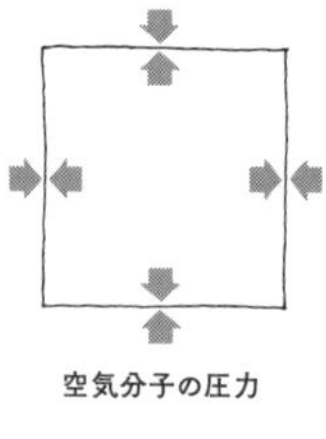

空気分子の圧力

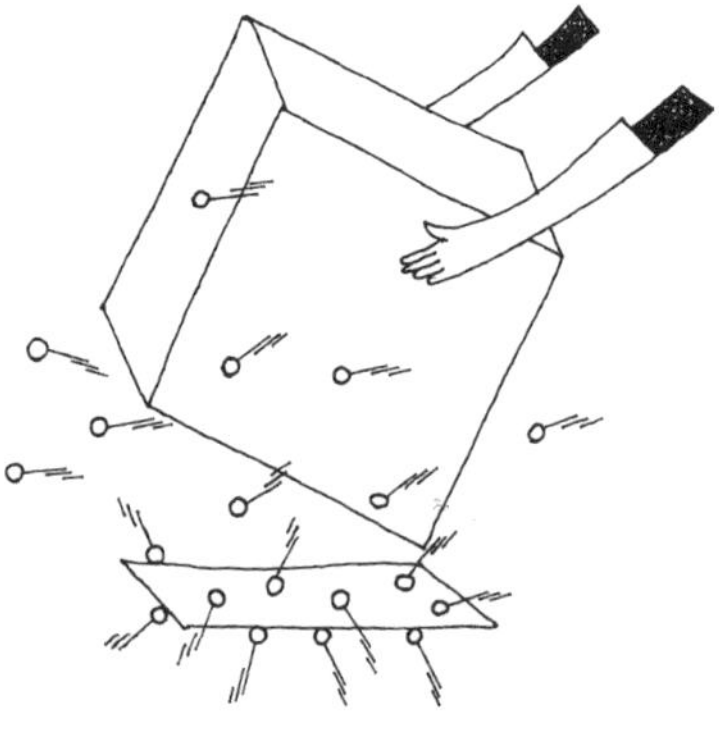

箱が底面だけになったとき

下敷きにもたくさんの空気分子がぶつかっていますが、机の上にあるときは、机に下の面が接していますから、もっぱら上からぶつかってくるので、とても持ちあげにくいのです。

いったん持ちあげてしまうと、上からも下からも同じように空気分子がぶつかるので、持ちあげる瞬間《しゅんかん》の大きな抵抗《ていこう》はなくなります。

つまり、空気の分子は下敷きの上にのんきに座って乗っかっているわけではありません。勢いよくぶつかって、弾《はじ》かれて、また飛んでいくということをくりかえしています。

こんなふうに押す力を、空気の圧力とよびます。

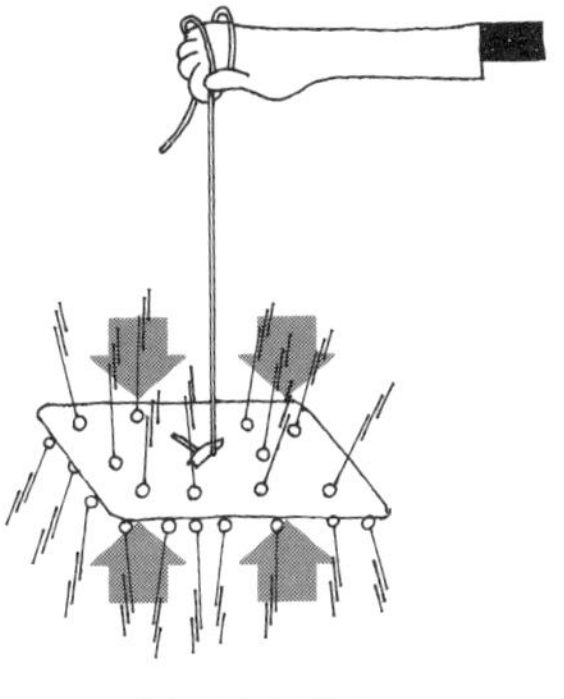

机から持ちあがった下敷き

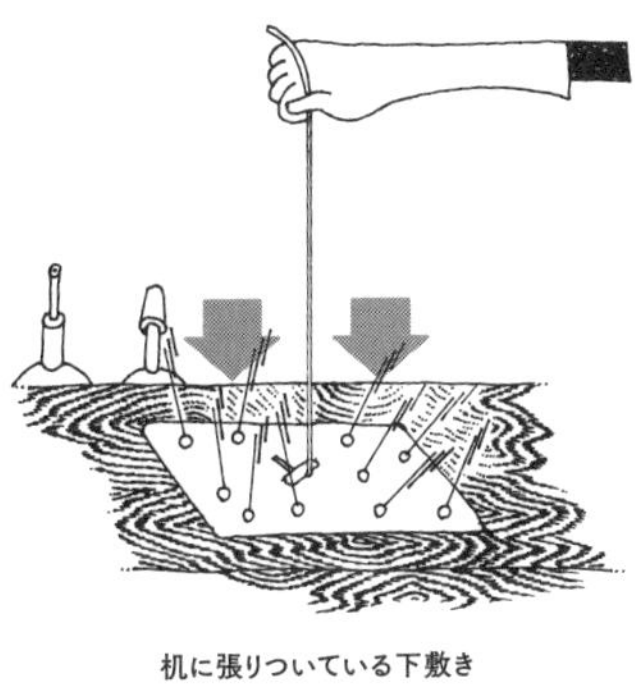

机に張りついている下敷き

≡人間に不可欠な「酸素」の発見≡ スウェーデンの化学者、シェーレ（1742―1786）が発見したが公表されず、1774年にイギリスのプリーストリーが発見し、発表した。

空気の圧力は分子の圧力しだい

空気は、温度が高ければ分子の飛びまわるスピードが増すので、ものに勢いよくぶつかり、押《お》します。それは、熱いと空気の圧力が大きいということです。勢いよく飛びまわって、壁《かべ》にバチーン！　このときの壁に対する圧力は大きくなります。

では、たくさんの分子が飛びまわっている場合と、わずかな数の分子が飛びまわっている場合を考えてみてください。

壁にぶつかって押す機会、回数はだいぶ違《ちが》います。壁にとってみれば、前者が圧力が大きく、後者が圧力が小さいといえるでしょう。

このように、空気分子の数が少なくなると、結果として、ぶつかって押す回数が減りますから、壁全体では圧力が減ります。

空気分子の密度が低い、つまり、空気が薄《うす》いと、空気の圧力は小さくなります。

空気分子の数が周囲より圧倒的《あっとうてき》に少ない空間には、周囲の分子ががんがん衝突《しょうとつ》して、押したり、穴があると、プシュー！と、勢いよく飛びこんだりします。

このような大きな差がある空間は、圧力が小さいので低圧ともいいますが、極端《きょくたん》な

空気分子のスピードが速いとき

空気分子のスピードがおそいとき

空気分子の数が多いとき

空気分子の数が少ないとき

≡真空実験ショー≡ 17世紀後半から18世紀のヨーロッパで、真空ポンプをつくって見せる実験が流行。ボイルの法則で知られるロバート・ボイルは、そのイギリスでの筆頭。だれにどんなことを見せたかまで、詳細《しょうさい》な記録を残している。

低圧は多くの場合、ひとまとめに真空とよばれます。

真空はもっとも空気が薄い状態で、空気どころか、なんの原子も分子も存在しないところです。

といっても、実際は空気の分子がまったくないわけではなく、ふつうの数十分の一、数百分の一くらい、空気の分子が残っていても、一般《いっぱん》に真空とよびます。

∴ ヨーロッパで起こった真空実験ブーム

話が少し横道にそれますが、ここに、十八世紀の流行を見ることができるおもしろい絵があります。ある裕福《ゆうふく》な知識階級の家のサロンといった感じの情景です。イギリスの画家ライトの絵で、真空ポンプの実験について描《えが》いています。

このころ、科学者や知識階級の人びとのあいだで、真空実験が一つの流行であったことをうかがわせます。

科学者らしい男がガラスの容器からポンプで空気を抜《ぬ》き、中の空気がなくなったことを、ガラス容器の中に羽を広げて落ちたオウムで示しています。見ている女性が目をそむけていて、父親らしい男性が、なだめています。

もっとも、科学者の手はすぐにもガラス容器のコックを開いて空気を入れなんとしています。オウムがふたたび羽ばたくことを予期している弟子らしい若い男が、窓辺の鳥かごを下ろそうとしている、そんな一瞬《いっしゅん》を描いています。

見ている人びとは、興味や恐怖《きょうふ》、無関心など、さまざまな表情を見せており、表現の技法から、それまでの宗教画と対比される興味深いものになっています。

このような見世物ふうのデモンストレーションがおこなわれていたことは、ライトがサロン実験の情景を絵に残す百年ほどまえに、真空実験で有名なゲーリケが書いた「マグデブルグの真空実験」という文章からもわかります。十七世紀中頃《なかごろ》から十八世紀にかけ

An Experiment to Bird in the Aier Pump

≡ガリレオと真空≡ 地動説で有名なイタリアのガリレオ・ガリレイ(1564—1642)は、真空が存在することを認め、真空中ではすべての物体は同じ速度で落下すると考えた。

す。て流行したようで、科学のありようがいまとはずいぶんと違《ちが》っていたことがわかりま

このころ、真空ポンプなどという奇妙《きみょう》なものが身近な見世物になっていたのには理由があります。十七世紀の中頃から、「世界には真空が存在する」ということが、だんだん広く認められてきたのです。空気を吸いだせば、そこは、かならず別の何者か、周囲にある別の空気だったり水だったりが、即座《そくざ》に埋《う》めてしまって、世の中には真空など存在しないと、ギリシア時代から長いこと信じられてきました。

その考えを、トリチェリ、パスカル、ゲーリケといった科学者たちが、実験によって覆《くつがえ》したのです（トリチェリの実験―一六四三年、パスカルの実験―一六四八年、ゲーリケの実験―一六五〇年）。

どのように覆していったかのくわしい話は別の機会にゆずるとして、かんたんにまとめるならば、空気を吸いだせる真空ポンプの開発により、真空の存在を示すためのさまざまな実験が積み重ねられ、書物やデモンストレーションで人びとに知らしめられました。真空は驚《おどろ》きとともに受け入れられ、認められているといったところです。

なかでも、ゲーリケのおこなったマグデブルグ市の公開実験は有名で、直径四十センチメートルもある、中空で銅製の二つの半球を、ぴったり合わせて、手動ポンプで空気を抜いて内部を真空にしたあと、両側から十六頭の馬で引いてみせました。

どうしてくっついて離《はな》れないかは、さきほどの下敷《したじ》きにぶつかる空気分子から考えてみると、想像できますね。中が真空ならば、球は外から周囲の空気分子にぶつかられていて、その圧力をはねのけて球を離すことはたやすくありません。それを証明するために、こんな大規模な実験で力を加える必要があったわけです。

トリチェリ

パスカル

ゲーリケ

≡トリチェリの実験≡ ガリレオの弟子トリチェリ(1608—1647)は、水銀を使って、ガラス管の中に真空をつくった。真空ガラス管中の水銀柱は760mmになり、日によって高さが微妙《びみょう》に変わった。彼《かれ》はそれを、大気圧によって開口部の水銀が押《お》されるからだと考えた。

∴ ストローで吸えるわけと「十メートルの限界」のわけ

さあ、ストローからはじまった話は、ずいぶんと長い道のりを歩いてきました。ここまでの話をもとに、あらためて、なぜジュースが吸いあげられるか、考えてみましょう。

ジュースやストローをとり巻く空気の分子は飛びまわっていて、あらゆるところにぶつかって押《お》して、圧力を与《あた》えています。ストローの中にも空気があり、ジュースの面を押しています。ストローの外側のジュース面も同じです。

ストローをくわえて吸うと、ストローの中の空気が口の中に移動して、ストローの中の空気分子の数が減ります。ストローの中のジュースの面を押している力が減りました。これを減圧とよびます。

一方でストローの外側では、さきほどと変わらぬ空気の圧力がかかっています。ほかのどの部分も同じように空気の圧力がかかっているというのに、ストロー内部だけ減圧され押さえがなくなったので、中をジュースが駆《か》けのぼり、飲むことができるのです。

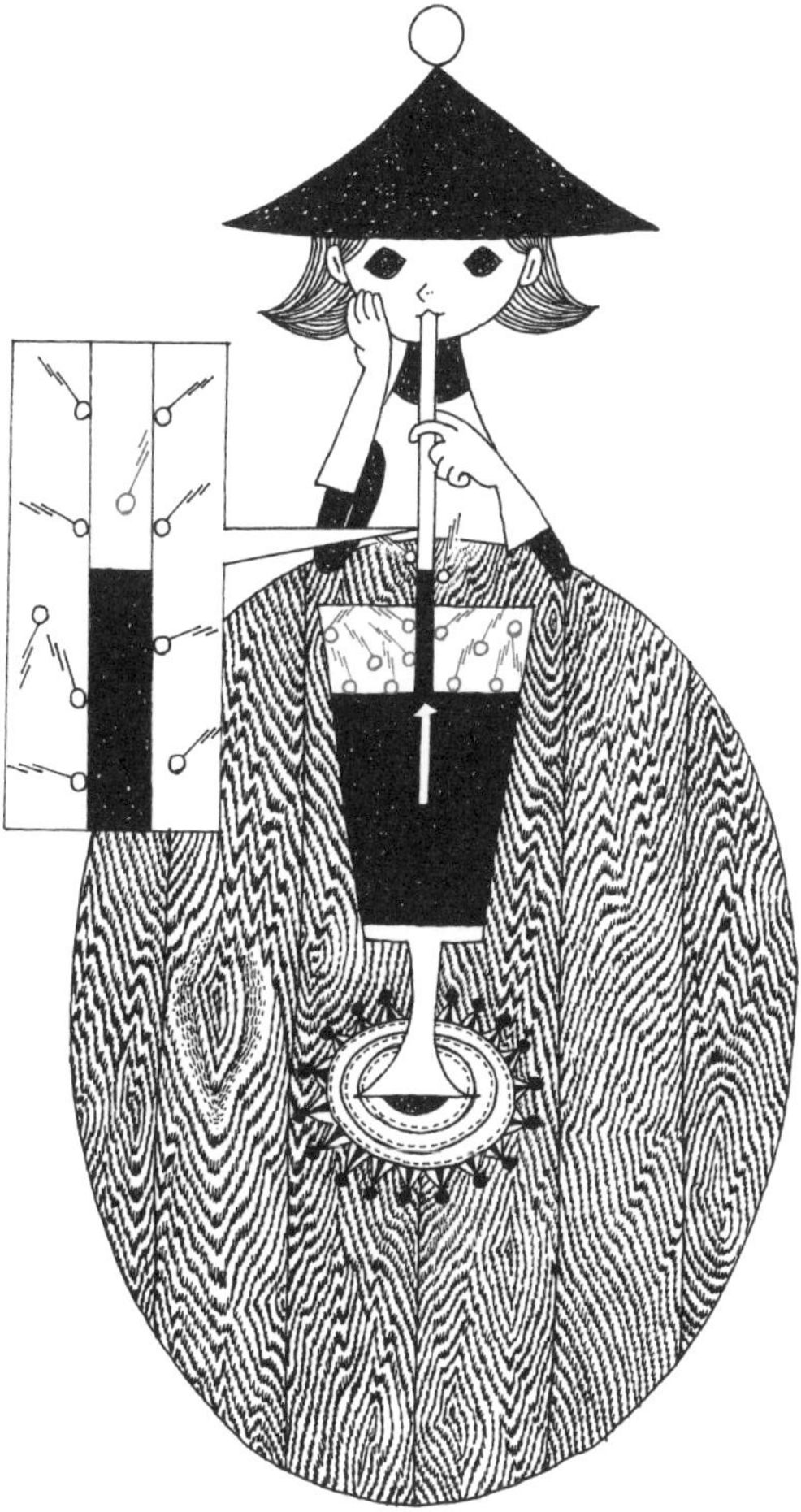

空気の圧力が高いほうから低いほうへ、ジュースが駆けのぼる

≡パスカルと圧力≡「人間は考える葦《あし》である」と言ったフランスの哲学者《てつがくしゃ》、パスカル(1623—1662)は、トリチェリの実験から圧力に関する法則を発見。パスカルの名は単位名となった。しかし体が弱く、大気圧の実験のために山に登ることができず、義兄に測定に行ってもらった。晩年は科学から遠ざかる。

ただ、空気が押す力の大きさも無限ではありません。周囲のジュース面をある一定の大きさで押しているので、それで押しあげ、支えられる水の重量には限界がありま す。

そこに、「十メートルの限界」のわけがあります。

大気の圧力を計算してみると、一平方メートルあたり約十トン（一万キログラム）になります。これが水面を押している圧力です。この力で押しあげ、支えることのできる重さも約十トンになります。

水十トンとは、どのくらいの体積でしょう。

水は、一立方メートルで一トンになります。これを十重ねて十メートルにすると、ちょうど十トンです。つまり、一平方メートルあたり十メートルの高さの水柱が、大気の圧力で支えられる限界になります。

これが、「十メートルの限界」の理由です。

ところで、コーヒーを飲むとき、ミルクポーションを開けたその瞬間《しゅんかん》、ミルクがぴゅっと飛びだして困ることがあります。

ところが、あるメーカーはそうならないようにくふうしていると聞いて、どのようにしているのか調べてみました。

　すると、ミルクポーションの内側の圧力を、周囲の空気の圧力より低くしてある、減圧してあるというのです。そうすると、口を開けたとたん、外側の空気が内側に入りこみます。ミルクポーションの内側のほうが空気分子がすいているから、混みあった外から空気がどっと飛びこむわけです。そのため、中のミルクが押されて外に飛びだすことが起きにくくなるのです。

　このようにわたしたちは日常的に、周囲の空気の圧力と入れものの中の圧力に差をつけたときに起きる現象を利用しています。

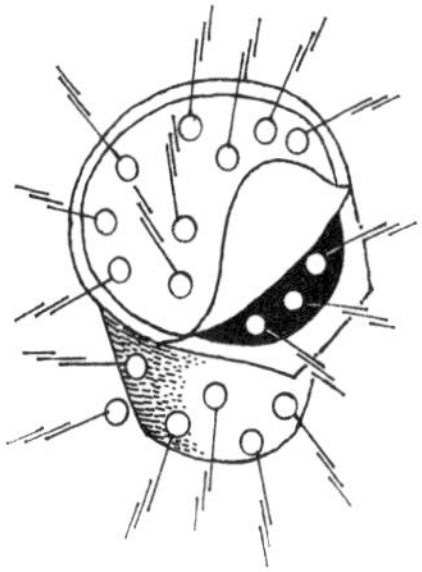

ミルクポーション

≡パスカルの原理≡「密閉した容器の中で、どこかに力を受けると、その圧力は液体のすべての部分に同じ大きさで伝わる」。高校で習う。たとえば、水入り風船の1か所を押《お》すと、全体が広がる。

十メートルより高い木の枝には、水が届かない？

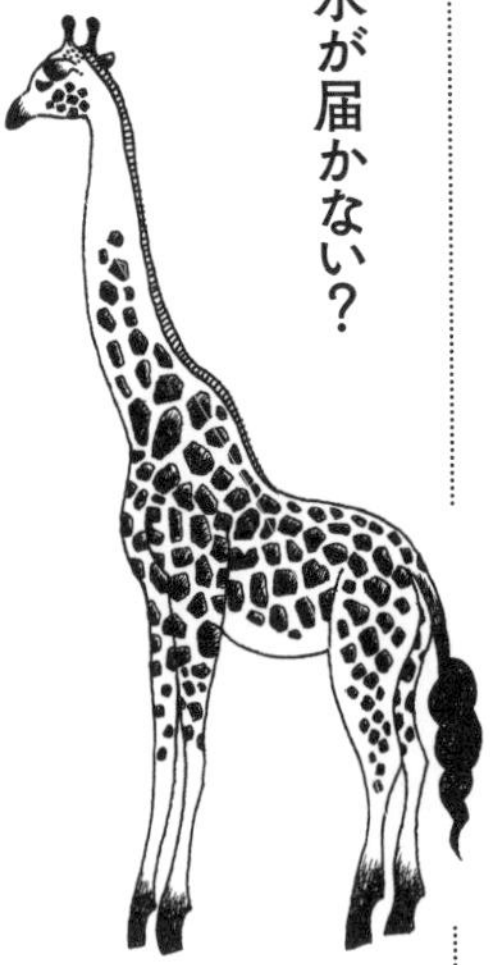

そんなことはありません。世界でいちばん高い木といわれるのは、現存するものでは米国カリフォルニア州にあるセコイア。約百十五メートルありますが、青々と茂《しげ》っています。

いったいどうやって？　まず、根の表面と内部では水分の濃《こ》さが異なるため、浸《しん》透圧《とうあつ》が生じて根内に水が入ります。そして、葉の蒸散によって木の上のほうの水分が減るので、それを補うために、水分子どうしがしっかりつながって細い管内をゆっくりのぼっていきます。こうして、水を百メートルも引きあげているのです。

　ところで、キリンの心臓から頭までは約二メートルもあります。動物の頭部にある脳は、体全体をコントロールするために、たくさんの血液を必要とします。高いところまで血を押《お》しあげるために、キリンは動物のなかでもかなり血圧が高く、人間の二倍はあります。そのため、血管は分厚く、その血管を体液が包みこんで守っています。また、皮膚《ひふ》も丈夫《じょうぶ》にできているので、高い血圧に耐《た》えられるのです。

∴ ふたの役割をする空気

さて、ストローは飲みものを飲むのに使うのは当然ですが、ちょっぴりいたずらをするのにも便利です。

喫茶店《きっさてん》でストローの入っている紙袋《かみぶくろ》をくしゃくしゃと蛇腹《じゃばら》になるようにはずして、そこに、ストローで、一、二滴《てき》の水を垂らすと、短くクシャクシャに縮まっていた紙が、もぞもぞと毛虫のようにうごめいて、長く伸びてきます。

ちょっとした遊びですが、このときの一、二滴の水をどうやってストローで運びますか？　水のコップにストローを差して、口でくわえる側の端《はし》を指で押《お》さえてストローを持ちあげると、中の水は落ちません。そのまま、紙の毛虫の上に持ってきて、押さえていた指を離《はな》すと、ぽたぽたと水が垂れます。便利な水の運搬《うんぱん》器具になるストローです。

この発想は、ストローのいたずらだけで終わるものではありません。

むかしのワインテイスターは、両端の開いた筒《つつ》で、ただし下の穴がきわめて小さくなっていました。これでワイン樽《だる》の口からワインをくみ上げ、グラスに移して試飲を

≡ゲーリケ≡ 真空について大規模な実験をしたゲーリケ（1602―1686）は、ドイツの技術者で政治家でもあった。マグデブルグ市の市長を務めるかたわら、実験をおこなった（本シリーズ『空気は踊《おど》る』にくわしい）。

したそうです。これも、両端に穴が開いているため、本来なら底の穴からぽたぽた垂れてしまいそうです。しかし、くみ上げたとたん上の口を親指でふさぐことで、空気の出入りがなくなり、ワインが垂れることはなくなります。そして、指を離すと、ふたたび下から注ぐことができるというわけです。

最近は、この古風な手法はあまり使われていないようで、フランスなどのデギュスタシオン（利き酒）では、ワインを抜《ぬ》きだすのにピペットを使用するようです。

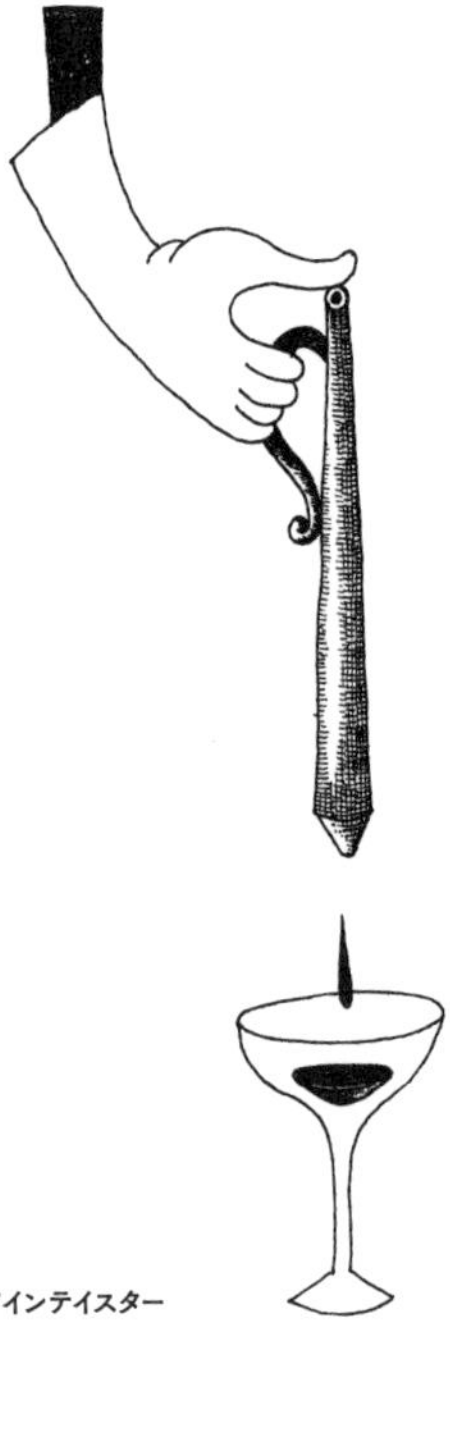

ワインテイスター

こんどは、子どものおもちゃへの応用です。

ペットボトルの下部に小さな穴を開けて、ペットボトルに水を入れてみましょう。水の量は多いほうがおもしろいです。ふたを開けていれば水が流れ落ちますが、しっかりとふたを閉じると、ああら、不思議、穴があっても水は落ちてきません。

この「ペットボトル水道」、ふたをしっかり閉められることが重要。また、穴が大きすぎるのもだめです。この小さい穴は、めやすとしては直径一ミリメートル〜一・五ミリメートルくらい、水が表面張力でこぼれずにいることのできる限界の大きさにしておきます〈次頁《ページ》〉。

そうすると、ほかから空気が出入りできないような条件をつくれば、水はぴたっと止まってしまいます。

とり巻く空気の分子がペットボトル全体を押していて、ちょうど小さな穴の部分では、外の空気がふたの役割をして、水が外に出ないように押しているのです。

ペットボトルの穴からのぞく水が内側にへこんでいないことから、空気が押す力と、水が外に出ようと押す力が、ほぼつりあっていることがわかります。

ふたを開けてボトルのなかにそれ以上外から空気が入ると、そのぶんの水が外に押しだされ、空気のふたを押しのけて、入った分だけこぼれてしまうことになります。

≡水もワインもビールも≡ 古代エジプト人の使ったストロー、古代ギリシャで使われた「さじ」、そして井戸《いど》や鉱山のポンプ。人類は、井戸も、鉱山の排水《はいすい》も、ビールの桶《おけ》やワインの樽《たる》からも、液体をとりだすためには、容器ですくうか、吸いあげるかしている。

ペットボトル水道

【用意するもの】

・ふたつきペットボトル（子どもが扱《あつか》いやすいものとしては五百ミリリットル以下）

・千枚通しか金串《かなぐし》、電子部品用の先の細いハンダごてなど、穴を開けられる細い先端《せんたん》をもつ用具

穴はペットボトルの下方の側面のなるべくまっすぐ平らな部分に開けます。ハンダゴテを使う場合には、熱によって一瞬《いっしゅん》で溶《と》けるので、力を加えすぎて穴が大きくならないよう注意。水の表面張力で支えられるサイズよりも大きい穴が開いてしまうと、ぽたぽたと漏《も》れてしまいます。直径一ミリメートル前後の穴が適当です。

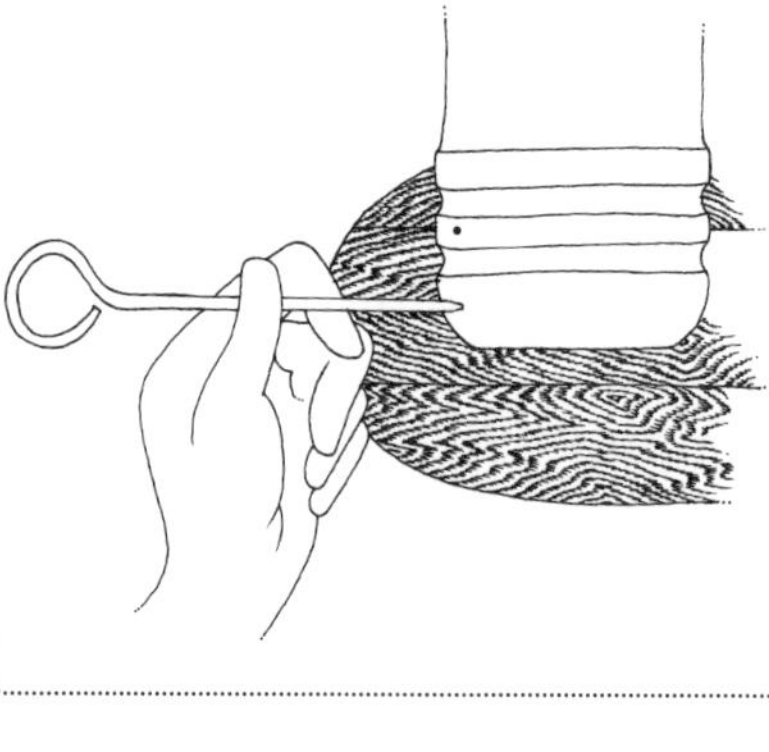

1. 水を入れてふたを閉める。
2. ボトル下部の平らな箇所に直径 1mm ほどの穴を1つ開ける。

∴紙一枚で水をくいとめる

もっと大胆《だいたん》にするならば……。コップになみなみと水を入れます。それから、紙でふたをして、コップを反転させ、紙が水から離《はな》れないように押《お》さえていた手を離すと、どうなるでしょう。手を離しても、紙はコップの口をふさいだまま、水も落ちてきません。

水は表面張力の強い、とてもよい接着剤《せっちゃくざい》で、お風呂《ふろ》の壁《かべ》に、濡《ぬ》らして張りつけて遊ぶお風呂ブロックというおもちゃがあるくらいです。また、それだけではなく、ここでは水の出口がないので、空気は入口がありません。コップを四方八方から押している空気の圧力が、紙のふたを落とさないのです。

紙が濡れてやわらかくなり、変形してすき

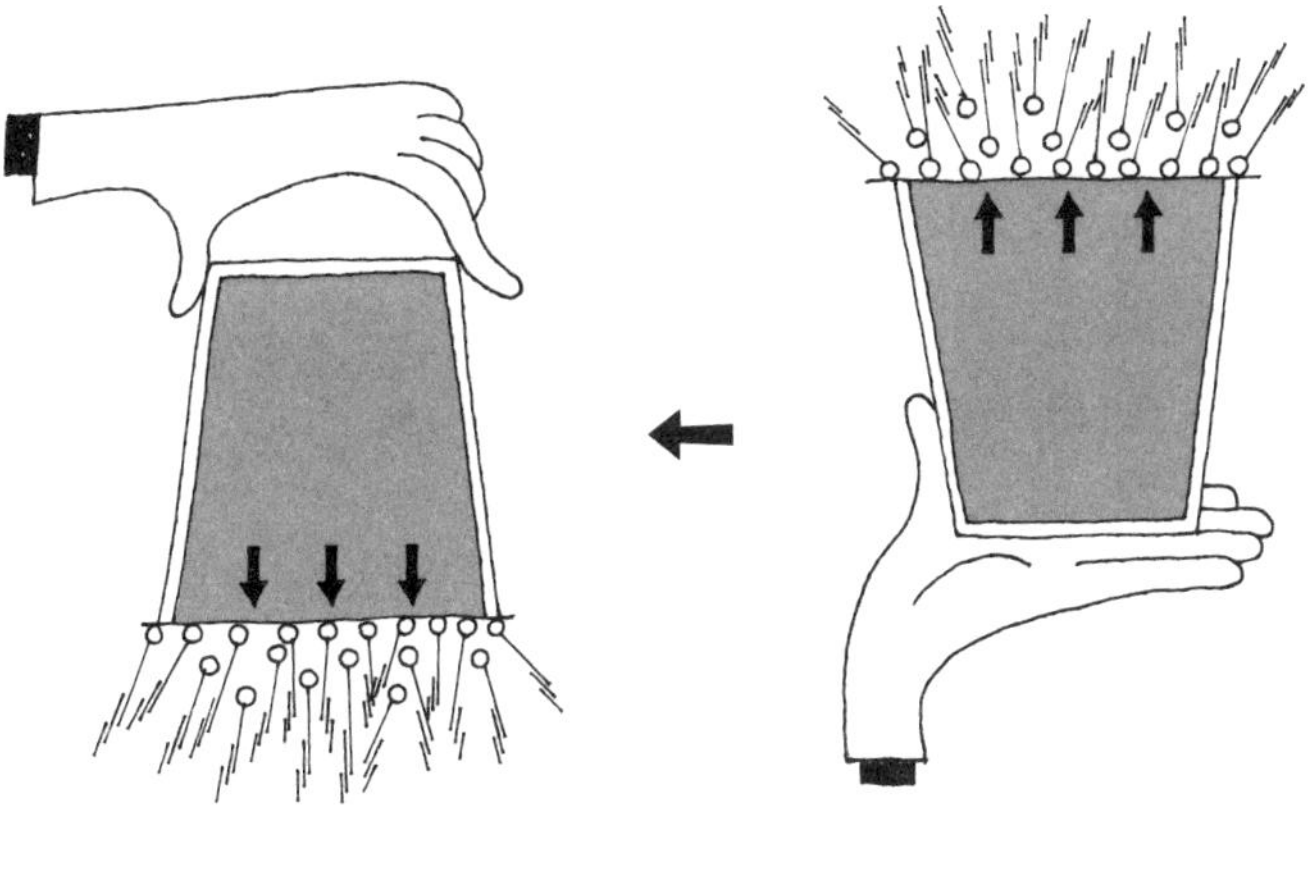

≡**教訓茶碗《きょうくんちゃわん》**≡ 大気圧を利用した沖縄《おきなわ》（石垣島《いしがきじま》）の民芸品。真ん中の突起《とっき》までは酒が入るが、それを越すと流れだす。欲ばってはいけないという「教訓茶碗」。

まができるまでのあいだ、水が逆さのコップからこぼれ落ちることはありません。

ペットボトルの口に発泡《はっぽう》スチロール球を置いても、同じことが観察できます。

①なみなみと水を入れたペットボトルの口に、ちょうどはまるくらいの発泡スチロールの球を乗せます。逆さにすると、どうなるでしょう。

②少しペットボトルを押して、水をしたたらせると、どうでしょう。

③押していた手を離して、水が減った分、空気を少し入れると、球は落ちるでしょうか。

いずれも球はついたままです。周囲の空気分子が発泡スチロールの球を押して、中の水が押す力とつりあっているのです。それに、水の表面張力が水と球をつないで安定を助けていて、軽い球はボトルの口についたままになります。

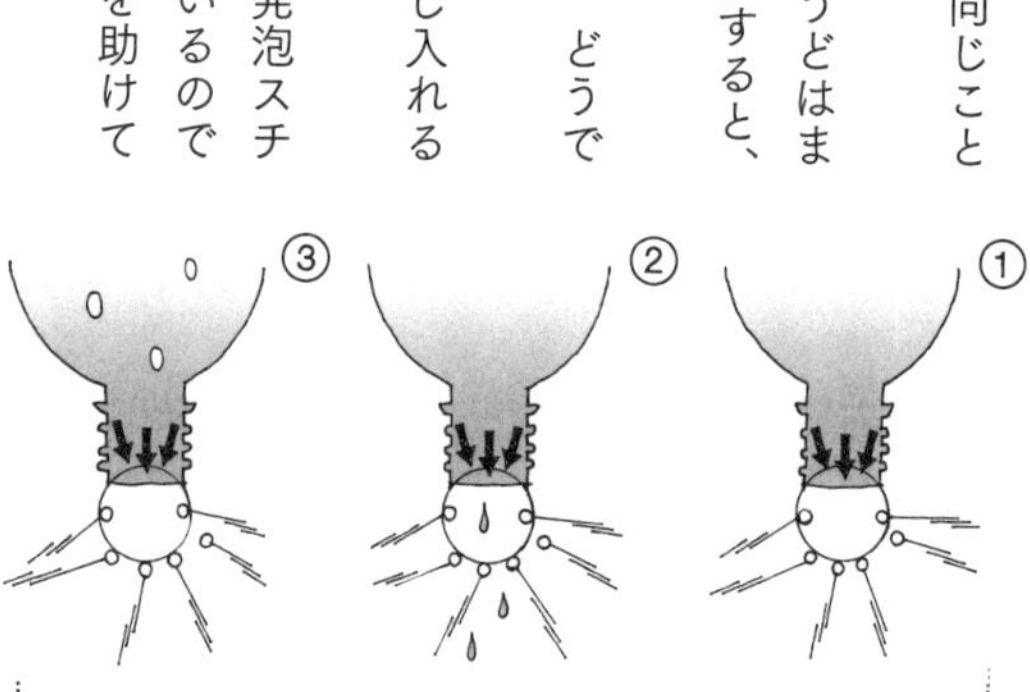

さあ、これで、醤油《しょうゆ》差しにも急須《きゅうす》にも二か所の穴が必要な理由がわかりました。外

から空気が入ってくる穴がないと、いくら開いている口があっても、水はスムーズに外には出ていってくれないわけです。

∴ 宇宙でストローは使えるか

ちなみに、月面では、ストローでジュースを飲めるでしょうか。

ストローでジュースを飲むためには、空気の圧力が必要であることを考えれば、想像がつきます。

まず、たとえば宇宙ステーションの中ならば、ふわふわ体が浮《う》いていようと、空気があります。しかし、ジュースをコップに注いだり、コップから飲んだりすることは、体がふわふわ浮いているのと同様、無重量状態ではジュースが水滴《すいてき》になってふわふわ散らばってしまうので、やはりうまくいきません。しかし、密閉した袋《ふくろ》入りのジュースにストローを差してなら、ちゃんと飲むことができます。

月面には、地上より弱いとはいえ重力があるので、ほかの条件はすべて無視して、なんとかジュースをコップに入れ、ストローを差すことができたとします。でも、空気がほとんどないのですから、いくら吸ってもジュースが上がってくることはありま

≡水槽《すいそう》の水をかえるには≡ 水槽にホースの片端《かたはし》を入れ、もう片方のホースの先から吸っていったん水を流しだすと、そのままずっと流れだす。これがサイフォンの原理。大気圧と表面張力の賜物《たまもの》。

せん。密閉できる袋に入れてストローで吸ったとしたら、どうでしょう。吸うだけではジュースが上がってきません。袋そのものを手で押して中から絞《しぼ》りだせば、飲むことができるでしょう。

空気のあるなしは、生きるために酸素が必要なわたしたちには重要なことです。そのために、わたしたちは海の底に潜るときに酸素ボンベを使います。高いところでも、ハンググライダーで飛べる高さは平気でも、高山の登山には酸素ボンベを用意することがあります。

宇宙ステーションのある高さでは、宇宙服が必要です。このとき、酸素ボンベではだめでなのです。その理由も、ストローでジュースが飲めたり飲めなかったりすることと同じです。

宇宙空間では息もできなくなりますし、温度も下がり、危険な放射線もたくさんありますが、それ以外にもう一つ、空気がなくなると、体をとり巻く、押《お》さえる力がなくなってしまうのです。

空気には圧力があります。そんな空気の中に水につかるようにいるわたしたちは、つねに空気が押してくる圧力の中にいることになります。いつもいつもその中にいるから、ちっともわからないのですが……。

∴ 体の中にも圧力がある

わたしたちが深海に潜《もぐ》るときは、深海探査艇《たんさてい》という頑丈《がんじょう》な構造の船に守られなければ、水圧につぶされてしまいます。

空気も水と同じで、底のほうが圧力は強くなっています。地球をとり巻く空気の海の底は、地面。わたしたちは空気の海の底のほうで暮らしているのです。そのため、ふだんは強く空気に押《お》されているはずで、それでもわたしたちがつぶれていないのは、そんな場所ではじめから進化して暮らしてきた生きものだからです。そこで生まれたので、そこに適応した体になっています。

わたしたちの皮膚《ひふ》や体内は空気やガスや体液をふくんでいて、押しつぶされないように同じだけ押しかえす力で対抗し、地上という場所でちょうどいいように体ができている。これを、体の内圧とよびます。

高い高い山の上に行くと、空気の海としては少し浅い場所になります。だから、圧力も小さくなります。

≡**恐怖《きょうふ》の真空体験**≡ アメリカNASAで飛行士が真空チェンバー内での実験中、真空にさらされる事故が起きたことがある。14秒だったので生還《せいかん》したが、唾液《だえき》が沸騰《ふっとう》し、皮膚《ひふ》がぴりぴりしたと語った。

プールに潜ってから浮《う》かびあがったときの、水中できゅっと押される感じが減るときのように、まわりから押す空気の圧力が減ります。らくになるかというとその逆で、ふだんと違《ちが》うからかえって困ったことが起きてきます。耳が痛くなったり、高山病になったり。

いつもはつりあっていて、ほどよい大きさでいられる体の内圧が、外の空気の圧力より大きくなってしまいます。

空気分子の動きで、もう一度考えてみましょう。

袋《ふくろ》入りのお菓子《かし》は、袋の中に空気が入っています。七十ページで考えた箱と同じように、製造時に、外とつりあう圧力の気体分子が中に入れられます。空気ではなく、中身が傷まないように窒素《ちっそ》が多いのですが、それはさておき、圧力がつりあっていることには変わりはありません。

このお菓子を、山の上に持っていくと、どうなるでしょう?

山の上に行くと、空気は薄《うす》くなります。つまり、飛びかう分子の数が減ります。まわりの分子は減りますが、袋の中は変わりません。

袋入りのお菓子を山の上に持っていくと……。

≡深海へ❶≡ 日本の「しんかい6500」は、世界に7隻《せき》しかない大深度の有人潜水《せんすい》調査船のひとつ。船体は25.8t、潜水速度は毎分約45m。ということは6500mまで潜《もぐ》るのに何分かかる？――答え：約145分

そのため、袋はふくらみます。

耳が痛くなるのも、高い山に持っていったお菓子の袋がふくれるのと同じ。耳の鼓《こ》膜《まく》はお菓子の袋と同じように内側からふくれようとします。つばを飲みこんだり口を大きく開けたりして、耳の内側に外と同じ空気を入れてやらないと、バランスがとれません。

∴ 宇宙空間に放りだされたら

高い山でこうなのですから、とにかく宇宙に出たら、困ったことになります。困ったことにならないためには、体のまわりにはいつもと同じ空気が、いつもと同じように「押《お》して」くれていることが必要です。酸素ボンベだけでは、息はできても、体のまわりに空気の圧力をつくれません。だから、どうしても体全体を覆《おお》う宇宙服が必要になるわけです。

では、宇宙空間に宇宙服なしで放りだされたら、どうなってしまうでしょう。

もちろん、窒息《ちっそく》したり、太陽からの熱や放射線の影響《えいきょう》を受けたりと、たいへんなことになりますが、圧力についてはどうでしょうか。お菓子《かし》の袋《ふくろ》を思い出すと、宇宙服がなかったら、真空で人は破裂《はれつ》してしまわないかと不安です。

空気の圧力が変わることで起こる体積変化という点について想像するためのヒントは、水分にあります。

先日、飛行機に乗っていたときのことです。あまり気がつきませんが、飛行機の機内の気圧は、上空では地上の八割ていどに下がっています。

上空で受けとった水のペットボトルは、地上から運ばれたのですから、当然、気圧が下がった分ふくれそうですが、水が口まで入っているので、外形にほとんど違《ちが》いはありませんでした。ところが、飛行中にほとんど飲んでしまってふたをしておいたら、着陸したとき、ふと見ると、みごとにつぶれています。飲まなかったペットボトルは、水がいっぱいのため、それほど大きな変化はありません。

水があるかないかでこれほど形状に違いが生じるのかと、感心しました。

液体と気体では、圧力が変わったときの体積の変化に、大きな違いがあります。針のない注射器の先を閉じて、空のままピストンを押《お》すと、ピストンは押しこめます。気体は圧力がかかると、あるていど大きく体積を変えます。ところが、同じ注射器に水を入れて同じことをしても、ピストンを押しさげることはほとんどできませ

≡深海へ❷≡ しんかい6500の耐圧殻《たいあつかく》は厚さ73.5mmのチタン合金。約681気圧の水圧につぶれないよう、可能なかぎり均一な真球にしてある。三陸沖日本海溝《さんりくおきにほんかいこう》で水深5527mに達し（世界記録）、プレートの沈《しず》みこみで生じたと思われる裂《さ》け目を確認した。

ん。水はあまり体積が変化しないのです。

人間は、ほとんどが水分でできています。

ですから、だいじょうぶ。破裂するようなことはありません。耳がきーんとなったとき、つばを飲みこむとすぐつりあうように、人間の体の一部は空気の出入りで外圧とつりあいやすく、またその細胞《さいぼう》は水分でできていますから、柔軟《じゅうなん》で、極端《きょくたん》な体積変化を起こしません。

宇宙空間で人間にとって問題になるのは、肺。肺には肺胞という気体をふくんだ小さな細胞が多くあります。圧力による体積変化という点では、この部分がもっともダメージを受けることになるでしょう。

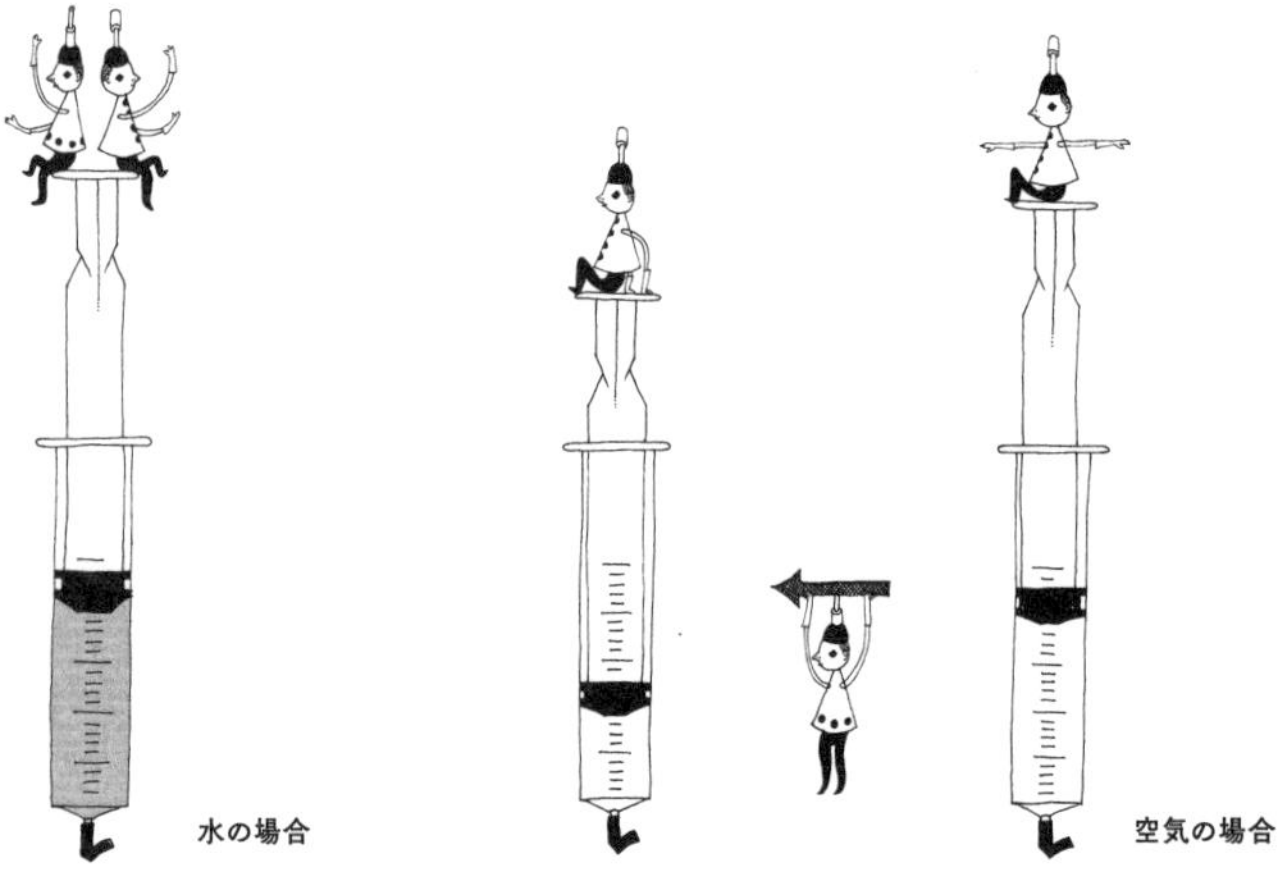

空気がない世界では……

…その一… 液体の水を真空中におくと、水分子が空中に自由に飛びだして蒸発しやすくなり、沸点《ふってん》が下がります。フリーズドライは、凍《こお》らせてから真空にして蒸発（昇華《しょうか》）させるので、水分子があった場所がそのまま空間になり、細胞《さいぼう》がつぶれないのが特徴《とくちょう》です。輸血用血液を運ぶ方法などから発展し、近年は味噌汁《みそしる》などの乾燥《かんそう》食品にまで使われています。一方、沸騰《ふっとう》している水をさらにもっと真空にしていくと、水からは蒸発で気化熱が奪《うば》われるので、水温が下がり、ある瞬間《しゅんかん》、氷に変化します。

…その二… 月面着陸したアポロ宇宙船の飛行士が、空気のない月の上で、鉄製ハンマーと、はやぶさの羽を同じ高さから落とした実験があります。二つは同時に月面に落ちました。空気の抵抗《ていこう》がないので、ガリレオがピサの斜塔《しゃとう》の実験で主張したとおり、重いものも軽いものも同時に落ちることが証明されたのです。

　空気抵抗のおかげで、わたしたちは傘《かさ》などで手軽に雨をよけられます。もし地球に空気がなかったら、雨粒は氷に変化し、旅客機なみの速さで落下するでしょう。

≡深海へ❸≡ 東京の町工場が手を組んだ、無人探査機《たんさき》「江戸《えど》っ子1号」プロジェクト。2013年11月、8000m海域の深海のようすを3Dハイビジョンで撮影《さつえい》することに成功した。本体にある3個の耐圧《たいあつ》ガラス球に照明やカメラを収め、おもりで沈める。切りはなして浮力《ふりょく》で上昇《じょうしょう》したところをGPSで調べて回収する。

十九世紀、フランスのアドルフ・ガノー（一八〇四―一八八七年）が書いた教科書が、世界中で使われていました。そこに、空気の圧力を確かめる痛そうな実験が紹介《しょうかい》されています。空気を吸いだせるポンプにつながった筒《つつ》の口に、手のひらをぴったり押しつけ、真空を体験する実験です。

何もしなければ手のひらはそのままですが、筒から排気《はいき》して減圧すると、手の皮膚《ひふ》や肉が筒のなかに吸いこまれてふくらみ、血液がすきまから出ようと集まり、手が真っ赤になります。

真空になっていくようすをとてもよく理解できる実験ですが、あまりやりたくありませんね。

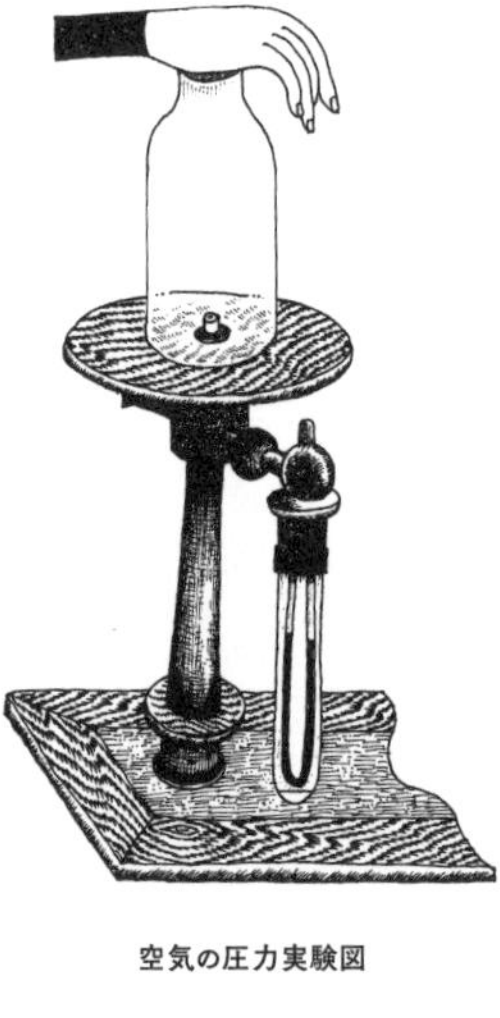

空気の圧力実験図

でも、ちょっとだけ体験。コップのふちを口につけて思いきり吸うと、コップが口のまわりに張りつきます。ちょうど、さきほどの実験で手がガラス瓶《びん》に吸いつくように。コップがつくと、口がとがったみたいでおもしろくって……。子どもの頃《ころ》に、こんないたずらをしませんでしたか？　このいたずらをすると、コップをはずしたあとに口のまわりが赤くなります。これまた、さきほどの実験とそっくりです。

さあ、これで、一本のストローでジュースが飲める理由がわかりましたね。世界には真空があり、地球には大気が存在しているから。そして、あなたが一本のストローをジュースに差して、軽やかにくわえ、すうっと吸いあげるから。このどれが欠けても、一本のストローはただの役に立たない細い筒にすぎなくなってしまいます。

「粒《つぶ》でできた世界」のお話は、これで終わりです。

世界を粒で見なおしてみると、いろいろな現象を説明しやすくなります。またつぎの機会に、もっと違った現象を粒で説明してみることにいたしましょう。

付録1 教科書ではいつ習う?

★——高校は、科目の選択により学習内容が異なります。

■無機物（たとえば金属）と有機物（たとえば植物）の違い

小3で、ものは体積が同じでも重さが違うこと、磁石に引きつけられるものと引きつけられないもの、電気を通すものと通さないものがあることを学習。

それにもとづいて、中1「身の回りの物質とその性質」では、密度《**物質の密度** $[g/cm^3] = \dfrac{\textbf{物質の質量}\,[g]}{\textbf{物質の体積}\,[cm^3]}$》、加熱したときの変化などといった身のまわりの物質の性質の違いを知り、無機物《**食塩や金属**》と有機物《**砂糖やでんぷん。燃焼により二酸化炭素と水が出て炭素が残る**》の違い、金属共通の性質《**電気を通す・金属光沢**》などを見いだし、物質を分類する。

中2「動物の生活と生物の変遷」で生物の体が細胞でできていることについて学習。

さらに高校化学基礎「物質の探究」で単体や化合物・混合物について、「物質と化学結合」でイオン結合、金属結合、共有結合を学ぶ。高校化学「物質の状態とその変化」で結晶構造などの固体の構造、「無機物質の性質と利用」「有機化合物の性質と利用」「高分子化合物の性質と利用」を学ぶ。

一方、高校生物基礎「生物と遺伝子―細胞とエネルギー」で光合成によって光エネルギーを用いて有機物がつくられ、呼吸によって有機物からエネルギーがとりだされることを扱う。

高校生物「生命現象と物質―細胞と分子」および「同―代謝」で、細胞構造や有機物からエネルギーをとりだす過程の詳細を学ぶ。

■原子、分子、化学結合、原子を表す記号、周期表

小6「燃焼の仕組み」、中1「身の回りの物質」などの学習のあとに、中2で「化学変化と原子・分子」が登場する。ここでまず、物質の成り立ちとして、物質を分解して成分を検討し、物質が原子や分子からできていることを学ぶ。原子は質量をもったひじょうに小さな粒であること、多くの種類があること、また原子がいくつか結びついて分子になることも学ぶ。さらに、原子の種類である元素は記号で表されることを習い、基礎的な記号を覚え、周期表が登場する。

さらに高校化学基礎「物質の構成粒子」で原子の構造、電子配置《**電子殻の収容数：K殻2個、L殻8個、M殻18個、N殻32個**》や周期表を、「物質と化学結合」で

イオン結合、金属結合、共有結合を学ぶ。

高校化学「物質の変化と平衡」で化学反応に関してより詳細に、「物質の状態とその変化」で結晶構造**《金属結晶のおもな配列：体心立方格子、面心立方格子、六方最密構造》**などの固体の構造、「無機物質の性質と利用」「有機化合物の性質と利用」「高分子化合物の性質と利用」で各物質特有の反応や結合について学ぶ。

■陰極線、電子

小3「電気の通り道」では回路、小4「電気の働き」では電池のつなぎ方や数と明るさの関係、小5「電流の働き」では電磁石、小6「電気の利用」では電流で光や音、熱が発生することを学ぶなど、電流の基礎的な学習を小学校でていねいにやる。

そして、中2で「電流とその利用」として回路や電流電圧抵抗の関係など学んだあとに、全体を受けて電気をエネルギーとして、電力の違いにより発生する光や熱の違いがあることなどを学ぶ。また、静電気の性質から、電子の存在、電子の流れが電流であることを学ぶ。真空放電や、陰極線などの写真はここで登場する。

さらに高校物理「電気と磁気」で、電子の電荷と質量**《電子の電荷：1.602×10^{-19} [C]、電子の質量：9.109×10^{-31} [kg]》**を学ぶ。

一方、高校化学「物質の変化と平衡」で電気分解や電池、電離平衡について学ぶ過程で、化学変化における電子の役割を扱う。

■原子、原子核、陽子と中性子と電子、電子の軌道

小6「水溶液の性質」と中2「電流とその利用」「化学変化と原子・分子」を前提に、中3で「化学変化とイオン（水溶液とイオン、酸・アルカリとイオン）」を学習する。ここで、電気分解の実験から、電子が余分だったり、足りなかったりするイオンの存在を知り、原子とイオンの関係を学ぶ。また、原子が電子と原子核からできていて、原子核が陽子と中性子でできていることを学ぶ。

高校化学基礎「物質の構成粒子」で原子の構造と電子配列について学ぶ。

また、高校物理「電気と磁気」の「原子と原子核」で原子や原子核の構造を学ぶ。電子の軌道のエネルギー準位とスペクトルの関係について、つぎの事柄を学習する。**《もっともエネルギーが低く安定した電子の状態を基底状態といい、もっとも原子核に近い円軌道をまわる。エネルギーを与えられ、より高い状態に移ることを励起という。励起状態から基底状態に落ちるとき、そのエネルギーの差が光となって放出される。その光の波長は、原子モデルで有名な物理学者ボーアの理論と一致する。》**

■水の三態、物質の三態

小4「金属、水、空気と温度」で温度と体積の変化、温まり方の違い、水の三態変化《**固体・氷、液体・水、気体・水蒸気**》を学習。中1では「身の回りの物質」や「状態変化」で固体や液体、気体の性質、物質の状態変化が粒子モデルを念頭に導入される。さらに状態変化と熱の関係、物質の融点と沸点、三態変化で体積変化はするが質量変化はしない、といったことを粒子の運動にも触れながら学習する。

さらに、高校化学基礎「物質の探究」と高校物理基礎「様々な物理現象とエネルギーの利用」で、熱について分子運動という視点から理解するさいに物質の三態にも触れる。

高校物理「様々な運動」で気体の分子運動、状態変化を学習。

高校化学「物質の状態と平衡」で状態変化、状態間の平衡、温度や圧力の関係を学ぶ。

一方、小4「天気の様子」で水の自然蒸発や結露について、水が水蒸気となって空気中にふくまれることや、空気が冷やされると水蒸気は水になって現れることを学習する。さらに中2「天気の変化」においては霧や雲の発生に関して、気温の低下で大気中の水蒸気が液体の水になった霧や、大気の上昇にともなう気温の低下《**断熱膨張**》で雲が生ずることなどを学ぶ。

■沸点の違い

中1「状態変化」では物質により沸点が違うことを学び、沸点の違いを利用して混合物から物質を分離したりする。醤油や赤ワイン、石油などが例にとられる。

高校化学基礎「物質の探究」で蒸留、分離、精製などの実験をおこなう。

高校化学「物質の状態と平衡」で、沸点や融点を分子間力や化学結合と関連づけて学習。蒸気圧を減圧や加圧下での沸騰の実験などで学ぶ。

■熱と気体の分子運動

水の三態を扱う中1「身の回りの物質」や「状態変化」では、加熱や冷却で粒子の運動の様子が変化することにも触れる。

さらに中3「科学技術と人間」でエネルギー資源の利用や科学技術の発展と人間生活のかかわりを学習するなかで、運動エネルギーで熱エネルギーを生みだせること、電気エネルギーなどを利用するとき、不用な熱も発生して一部のエネルギーが無駄になるので、効率を考えなければならないことなどを学ぶ。

高校の化学基礎「物質の探究」や高校物理基礎「物体の運動とエネルギー」で、熱について分子運動という視点から理解し、温度と熱運動の関係、絶対温度《**分子が静止する温度（-273.15℃）を基準に0[℃]＝273.15[K]。単位は［K］（ケルビン）**》につ

いて触れ、ブラウン運動の観察などもする。

高校物理「様々な運動」で気体の分子運動と圧力に関してさらにくわしく扱い、熱力学の法則《**第一法則：ΔU＝Q＋W（Q：気体に加えられた熱量、ΔU：内部エネルギーの増加量、W：気体が外部からされた仕事）、第二法則：与えられた熱のすべてを仕事に変換する熱機関は存在しない**》、理想気体の状態方程式《**PV＝nRT（P：圧力、V：体積、n：モル数、R：気体定数、T：絶対温度）**》、熱平衡状態における理想気体の分子のエネルギー、

《$\frac{1}{2}mv^2 = \frac{3}{2}kT$**（T：絶対温度、ボルツマン定数**$k = \frac{R}{N_A}$**、気体定数**$R = 8.315$ **[J/mol・K]、アボガドロ定数**$N_A = 6.022 \times 10^{23}$**[/mol]）**》などはここで学習。高校化学「物質の状態と平衡」で沸点や融点を分子間力や化学結合と関連づけて学習する。

■放射性元素、原子核崩壊、核融合

中3「自然環境の保全と科学技術の利用」において、エネルギー問題を扱うさいに原子力の利用を学ぶ。

さらに高校物理基礎「エネルギーとその利用」で原子力エネルギーを学ぶさいに扱う。高校物理「原子と原子核」で原子核の崩壊《**α崩壊、β崩壊、γ崩壊**》、原子核反応、半減期

《$N(t) = N(0)\left(\frac{1}{2}\right)^{\frac{t}{T}}$ **（N（t）：時刻tでの原子核の個数、N（0）：はじめの原子核の個数、T：半減期）**》、核分裂と核融合について学び、放射線計測《**ガイガーカウンター、シンチレーション検出器**》や霧箱を使った観察もおこなう。

■気体の性質

小6「燃焼の仕組み」で植物体が燃えると空中の酸素が使われ、二酸化炭素ができることを学ぶ。ここで、気体の種類による特性の違いを学び、それらを集めるさいに適した実験装置を選ぶことなども体験する。中1「身の回りの物質」で固体や液体、気体の性質について粒子モデルを念頭に学習する。

高校化学基礎「熱運動と物質の三態」で気体の温度と粒子の熱運動との関係、「物質量」で物質量と気体の体積との関係について学習。

さらに高校化学「物質の状態と平衡」で理想気体の体積と圧力や絶対温度との関係、ボイル・シャルルの法則、

《$\frac{PV}{T} = \frac{P'V'}{T'}$》から理想気体の状態方程式《**PV＝nRT（P：圧力、V：体積、n：モル数、**

R：気体定数、T：絶対温度）》を扱う。また、混合気体、実在の気体、理想気体などに関して学び、理想気体の状態方程式の適応範囲《**理想気体は分子間力が働いていないと仮定している**》を扱う。

■大気の存在、大気の厚さ

小3「風やゴムの働き」や小4「空気と水の性質」で空気の存在を学ぶ。

中1「身の回りの物理現象—力と圧力」で大気の厚さについて触れる。

中2「日本の気象—大気の動きと海洋の影響」において大気の動きと海洋の影響を学ぶさいに、地球をとり巻く大気の動きや地球の大きさ、大気の厚さがごく薄いことについても学ぶ。

高校地学基礎「大気と海洋」で大気の構造や、地球全体の熱収支《**太陽放射の2割は大気や雲に吸収、3割が上空の反射で宇宙へ、地表にはおよそ5割が届く。地表から宇宙への熱の放射は太陽放射の1.14倍**》と熱の輸送による気流の循環を学ぶ。

高校地学「地球の大気と海洋」で大気の組成とその変化、《**大気圏**》の各圏《**対流圏、成層圏、中間圏、熱圏**》に起こっているさまざまな現象と大気中の熱の出入りをさらにくわしく学習する。

■重力

中1「身近な物理現象—力と圧力」で、重さと質量の違い、重力についても学ぶ。月は地球の6分の1の重力しかないことなどもこのあたりで触れられることが多い。

高校物理基礎「様々な力とその働き」で重力を、さらに高校物理を選択すると「様々な運動」で万有引力《**万有引力の法則：2つの物体m_1とm_2のあいだに働く力Fは、**

$F=G\frac{m1m2}{r^2}$（G：万有引力定数、r：2つの物体のあいだの距離）》を扱い、惑星や人工衛星の運動について学ぶ。《**第一宇宙速度：物体が地面に落下せず地表すれすれをまわりつづけるときの速度＝約7.9km/s（時速28,400km）、第二宇宙速度：地表から投射された物体が地球の引力を受けながらも、無限の遠くに飛んでいくための最小の初速度、約11.2km/s（時速40,300km）**》

高校地学基礎「地球の形と大きさ」で、地球が厳密には球でない

《**扁平率＝$1-\frac{短半径}{長半径}$はおよそ298分の1**》ことを学習する。

高校地学「地球の概観」で地球の形と重力の働きを理解し、重力が地球の引力と自転による遠心力の合力であり、緯度により重力の大きさに違いがあることなどを学ぶ。

■大気圧、水圧、標高による大気圧の変化、袋がふくらむ

中1「身近な物理現象—力と圧力」において、圧力とは何か

《**圧力＝$\frac{面を垂直に押す力[N]}{力の働く面積[m^2]}$**》を定義、大気圧《**高度が高いほど小さい、あらゆる方向から働く**》、水圧《**水の深さが深いほど大きい、あらゆる方向から働く**》について扱う。空き缶の中の空気を追いだし、真空に近づけてつぶす実験で大気圧を視覚的に確かめる。教科書にゲーリケの実験は登場しないが、つぶれない半球を使って、それが16頭の馬でも引きはがせないことを示した彼の実験と、この空き缶の実験は、同様のことを示そうとしている。水圧についても、ゴム膜を張った筒を水中に沈めて確かめる。

一方で、中2「天気の変化」においては霧や雲の発生に関して、気温の低下で大気中の水蒸気が液体の水になった霧や、大気の上昇にともなう気温の低下《**断熱膨張**》で雲が生ずることなどを学ぶ。そのさいに、大気圧の高度による変化を、密閉された袋が高度変化にともなう気圧の低下でふくらむことなどをとりあげる。

高校地学基礎「地球の熱収支」で、大気の構造の概要と地球全体の熱収支について学習。

高校地学「地球の大気と海洋」で大気の組成とその変化、各圏に起こっているさまざまな現象と大気中の熱の出入りを学習。

高校物理基礎「様々な力とその働き」の一つとして圧力、水圧《**$p = P_0 + \rho gh$（P_0：大気圧、ρ：水の密度、h：水深、g：重力加速度**》、浮力《**$F = \rho Vg$（V：流体中の物体の体積、ρ：流体の密度、g：重力加速度**》、弾性力《**$F = kx$（F：弾性力の大きさ、k：ばね定数、x：ばねの伸び**》などを実験をとおして学び、「熱」で熱容量、比熱、潜熱、熱膨張などを学ぶ。高校物理「様々な運動」で気体の分子運動と圧力、気体の状態変化についてくわしく学習。

一方、高校化学「物質の状態と平衡」で理想気体の体積と圧力や絶対温度との関係を学ぶ。

本の中でとりあげた科学者が登場するのは……

ボイル＝高校物理・高校化学、ラボアジェ＝高校化学、ドルトン＝中2、
アボガドロ＝中2、メンデレーエフ＝中2、トムソン＝中2、ラザフォード＝高校物理、
ガリレオ＝中3、トリチェリ＝中1、パスカル＝中1。
真空ポンプは中2で出てくる。

付録2 おすすめ関連図書

『だれが原子をみたか』（江沢洋＝著、岩波現代文庫、2013）
だれも見たことがない原子の存在を確かめる歴史と、その再現に感動します。ハードカバーの本をくりかえし読んだ方もいらっしゃることでしょう。文庫になったことは本当に喜ばしいことです。

『なかよしいじわる元素の学校——宇宙の物質・元素の世界』
「科学のたんけん・知識のぼうけん」シリーズ①（かこさとし＝著、偕成社、2000）
おなじみ、かこさとしさんの科学絵本で、元素が子どもたち、科学者が先生という設定です。元素の名前の由来、性質、周期表の意味までわかりやすく教えてくれますが、残念ながら、絶版になっています。

『元素生活』（寄藤文平＝著、化学同人、2009）
本編もさることながら、付録の周期表が秀逸です。「うまへた」な絵が、周期表における元素の本質をじつによく表しています。ただ、その「うまへた」な絵に眉をひそめる方がいらっしゃるかもしれませんが……。

『世界で一番美しい元素図鑑』
（セオドア・グレイ＝著、ニック・マン＝写真、武井摩利＝訳、若林文高＝監修、創元社、2010）
本の題に偽りはありません。生命をもたない鉱物や金属がこんなに美しいとは……。高価な本ですが、見飽きることがありません。

『目で見る元素の世界——身のまわりの元素を調べよう』
「子供の科学・サイエンスブックス」シリーズ（齋藤幸一＝編、誠文堂新光社、2009）
雑誌『子供の科学』のサイエンスブックスシリーズの1冊で、東京都内近郊の中学・高校の先生方が集まって書かれた本です。身近なものがとりあげられているので、なるほどと思ってしまいます。

『原子論の歴史（上）——誕生・勝利・追放』
『原子論の歴史（下）——復活・確立』（板倉聖宣＝著、仮説社、2004）
副題でも想像できるとおり、古代ギリシャにはじまり、ルネッサンスで復興し、ガリレオの時

代を経て、ラボアジェ、ドルトンによって形づくられ、ブラウン運動の謎の解明を経て、現在に至る原子論の歴史のすべてが語られています。

図録『印象派を超えて――点描の画家たち　ゴッホ、スーラからモンドリアンまで』
（クレラ・ミュラー美術館ほか＝編、東京新聞、2013年）
美術の本を開けてみると、点で世界を描いた作品に出会います。ライト兄妹が初飛行に成功し、キュリー夫妻がラジウムを発見し、ノーベル賞が設立された1900年前後にさかんになった手法で、ルノアールやモネで有名な印象派の後期に現れ、新印象主義とよばれました。文豪ゲーテが1810年に出した著書『色彩論』に強く影響を受けたジョルジュ・スーラが創始しました。これは原子を意識したわけではなく、光と色彩をいかに表現するかを考えてたどり着いた手法でした。とはいえ、わたしたちが目で見ている色を点の集合体と捉えたところは、古代ギリシャの哲学者が目に見える物象を点の運動で捉えようとした原子論に一脈通じるところがあるかもしれません。ちなみにゲーテは『色彩論』の中で、ニュートンの『光学』を強く批判しています。

『印象派の歴史』（ジョン・リウォルド＝著、三浦篤・坂上桂子＝訳、角川学芸出版 、2004）
原著は50年以上前の本で、新印象主義たる点描の画家についての内容はスーラたちの活動のはじまりあたりまでしか述べられていませんが、光を意識した印象派の登場の歴史に臨場感をもって触れられます。

『万葉集――Man'yō Luster』（リービ英雄＝英訳、井上博道＝写真、ピエ・ブックス、2002）
万葉集の代表歌を選び、なるほどと思わせるセンスのいい英訳とイメージ写真をつけたたいへん美しい本。志貴皇子が難波宮にあって詠んだ葦を絡めた望郷歌が出てきます。

「麦わらのストロー」
（モーリス・ルブラン＝著、必読名作シリーズ『ルパンの挑戦』［旺文社、1990］所収）
このお話ではまさに麦わらのストローがトリックのキーになっています。「麦がらのストロー」（新潮）、「麦わらの茎」（角川）、「わら屑」（集英社）など、出版社によってタイトルの訳が違っているのがおもしろいですね。

復刻版『親子で作るストロー細工――どうぶつたち』（当銀美奈子＝著、シバセ工業、2010）
ストローを使ったどうぶつの作り方が載っています。インターネットにはストローアート作家たちのみごとな龍やサソリ、エビやタツノオトシゴなどの画像が並んでいるので、ちょっと自分で挑戦したくなったら参考にできる本です。

著

結城千代子《ゆうき・ちよこ》
東京都生まれ。大学講師。物理教育研究会会員、比較文明学会会員。小学校理科・生活科、中学校理科の教科書執筆者。

田中　幸《たなか・みゆき》
岐阜県生まれ。晃華学園中学校高等学校理科教諭。物理教育学会会員。

二人は大学時代からの同志。コンビ名は「Uuw：ウンウンワンダリウム」（自称）。15年にわたり、子どもたちが口にする「ふしぎ」を集め、それに答えていく『ふしぎしんぶん』（ママとサイエンス　http://science-with-mama.com/）を発行する活動を続ける。共著者・共訳者として、科学読物の執筆・翻訳を多く手がける。著書に『天気のなぞ』（絵本塾出版）、『新しい科学の話』（東京書籍）、『くっつくふしぎ』（福音館書店）など、訳書に「家族で楽しむ科学のシリーズ」（東京書籍）など。

絵

西岡千晶《にしおか・ちあき》
三重県生まれ。漫画家。実兄との共同ペンネーム「西岡兄妹」の画を担当。コミックに『新装版地獄』（青林工藝舎）、『神の子供』（太田出版）、『カフカ』（ヴィレッジブックス）など、絵本に『そっくりそらに』（長崎出版）など多数。

謝　辞

この本は、平林浩先生との再会をきっかけに生まれました。

わたしたちの子どもたちはともに、平林先生の科学教室を巣立っています。なつかしい平林先生に顧問役で参加していただき、著者が興味津々、内容をおもしろがって書いている本は、読み手をも引きこむことをお教えいただきました。

先生がおもしろいと言ってくださるのを指標に、科学の世界を開く端緒となれる本の形を探り、シリーズ化に至りました。ここに、厚く御礼申し上げます。

ワンダー・ラボラトリ 01

粒でできた世界

2014年 8 月 5 日　初版印刷
2014年11月15日　3刷発行

著者……結城千代子・田中幸
絵……西岡千晶
ブックデザイン……成瀬 慧
発行者……北山理子
発行所……株式会社太郎次郎社エディタス
東京都文京区本郷4-3-4-3F　〒113-0033
電話 03-3815-0605
FAX 03-3815-0698
http://www.tarojiro.co.jp/
電子メール tarojiro@tarojiro.co.jp
印刷・製本……シナノ書籍印刷

定価はカバーに表示してあります
ISBN978-4-8118-0774-4　C0040